FIESTAS Y DANZAS
EN EL CUZCO Y EN LOS ANDES

ARTE DOCUMENTAL

PIERRE VERGER

FIESTAS Y DANZAS
EN EL CUZCO Y EN LOS ANDES

Prólogo de
LUIS E. VALCÁRCEL

EDITORIAL SUDAMERICANA
BUENOS AIRES

A

Monsieur et Madame

Jean Ménil

PROLOGO

Se aproxima a doscientos el número de danzas que los indios actuales de las naciones andinas (Perú, Bolivia, Ecuador) continúan ejecutando como parte esencial de sus fiestas y ritos. Este solo hecho revela la extraordinaria vitalidad del pueblo nativo, tan profundamente apegado a su modo de ser propio, y pone de manifiesto la importancia que sigue teniendo lo colectivo enfrentado al individualismo de importación europea. Mientras las muchedumbres indígenas sigan danzando a un solo ritmo que anuda sus cuerpos y suelda sus espíritus en un alma social, habrá una realidad india, pese a las penetraciones cada vez mayores de la civilización extranjera.

El ethnos andino conserva y acumula, viven en él las creaciones remotas de la cultura antigua y viven también absorbidas y transformadas las procedentes del mundo occidental, desde el siglo XVI hasta nuestros días. No son simples préstamos sino efectivas asimilaciones las que realiza el indio con los elementos culturales extraños.

Este proceso de indianización de lo europeo se produjo desde el día siguiente a la conquista española. Los ritos católicos, el idioma castellano, los juegos, los trajes, los instrumentos musicales, las corridas de toros, en fin, infinitas aportaciones hispánicas fueron adoptadas y modificadas por el indio para ponerlas a su servicio, es decir, a tono con sus necesidades y en armonía con sus modos de ver y actuar. El arpa europea ya no lo es más cuando el aborigen la construye, la lengua de Castilla ni expresa ni suena igual, el catolicismo andino apenas si se parece al de los Reyes Católicos, la "Yawar-fiesta" (fiesta de la sangre) es una parodia del arte de la tauromaquia peninsular, la casaca y la montera españolas se han transformado tan libre y variadamente que es difícil reconocer su procedencia.

¿Quién va a reconocer ciertos bailes de raíz europea en la abigarrada coreografía del altiplano puneño? Sin embargo, está allí la "cuadrilla" y están la pavana y el minué. Mas es tan gruesa la capa india que las cubre, que sólo los profesionales de la investigación etnológica podrán descubrir lo de tal modo embozado.

Es la sierra del Perú el campo más rico para el conocimiento de la danza. En la costa ha sido desarraigada en mucha proporción. En la selva, las tribus mantienen considerablemente su acervo primitivo, defendidas por su aislamiento. Cronológicamente, la danza precolombina puede ser identificada con relativa pureza y las introducidas durante el dominio español de los siglos XVI al XVIII cumplen su función, aunque con significado distinto al originario.

Unas han persistido mejor que otras; tales han variado sustancialmente en tanto que algunas sólo presentan alteraciones superficialísimas, casi imperceptibles. Influyen en este proceso factores diversos, como son: núcleos de población indígena más densa en que el mestizaje es mínimo, o, al revés, regiones de periferia en que la influencia extranjera es menor o ubicación demográfica

insular, a causa de obstáculos geográficos, como altas montañas
o páramos. En fin, grupos raciales más proclives a la trasculturación a diferencia de otros que ofrecen una resistencia pronuncia-
da. Todavía otro factor considerable: cierta gravitación tradicional basada en un sentimiento de orgullo, como en ciertos
pueblos del área incaica castiza, como el Cuzco.

El contenido de la danza es tan rico como el de la vida social
misma en sus múltiples aspectos. Siendo la danza una sublima-
ción de las actitudes y los hechos ordinarios, ella refleja a la sociedad en los distintos momentos de su proceso histórico. Han
desaparecido o se empobrecieron aquellas que expresaban modos
de ser extinguidos o atenuados. Su "tempo" mismo ha variado
con el cambio de acento dentro del complejo cultural. Inclusive,
como en todo declinar de una cultura, muchas se han convertido
en espectáculo al perder su hondo significado, su verdadera función social.

Sería prematuro intentar una clasificación bien fundada de
las numerosas manifestaciones coreográficas, si aún no han sido
catalogadas después de concienzudo estudio. Sin embargo, es
posible agruparlas provisionalmente. Una primera división com-
prendería dos grandes términos: *a*) danzas nativas de origen
precolombino; *b*) danzas extranjeras asimiladas, durante el Vi-
rreinato, y danzas nativas surgidas bajo su férula. Las primeras
pueden ser identificadas comparándolas con las que describen
los historiadores de la primera centuria del Dominio Hispánico
y con las escenografías analizadas en las representaciones artís-
ticas que pone ante nuestros ojos el arqueólogo en los museos:
vasos y tejidos, especialmente. Las segundas se diferencian por
caracteres "modernos" que saltan a la vista, en agudo contraste,

y por el tema mismo dirigido a la crítica o la burla de los nuevos señores, "los barbudos" de allende el mar, los "viracochas".

Por ejemplo, son danzas sin duda alguna precolombinas las de carácter totémico, que se ejecutan por hombres sólo, con sendas máscaras y especial vestimenta integrada por rostros de felinos u otros animales y por sus pieles o plumajes. Asimismo, las danzas fúnebres acompañadas de una música de gran intensidad lúgubre, como los ayarachis, originarias de regiones en que el acervo cultural antiguo que se halla en vigencia se mantiene relativamente puro. En cambio, los "diablillos" y los "negritos" no pueden ser sino coloniales. Creaciones de este tiempo postcolombino son, entre muchas, las danzas denominadas "Sijlla", enderezadas a ridiculizar al español, poniendo en juego a tipos como el escribano o el sangrador, protagonistas de verdaderos mimos.

La diferenciación, sin embargo, no es nítida, porque acontece con frecuencia que danzas de origen antiguo son bailadas por sujetos vestidos con una indumentaria anacrónica, absolutamente impropia. Quizá si es un rasgo común en muchas danzas esta falta de concierto entre composición y ejecución, falta de concierto que se agrava a medida que se respeta menos la exactitud y propiedad de cada detalle, condiciones esenciales en todo ritual primitivo.

Si intentáramos una clasificación por el contenido o significado de la danza, nos hallaríamos al frente de muchos problemas cuya solución es previa. De todos modos y como mera enumeración, podríamos citar: a) danzas religiosas, como el ayarachi; b) danzas totémicas, como las del Ukuku (oso) o el Kusillu (mono); c) danzas guerreras, como la kachampa o el akorasi; d) danzas gremiales, como las de arrieros, pastores, llameros, etc.; e) danzas satíricas, como la Sijlla, la Chujchu (el palúdico), la de los majeños, la de los tucumanos, la de los chilenos y tantas otras; f) danzas regionales, como las de chunchos o selváticos, kollas o altiplánicos, las de "yungueños" o tropicales; *g*) danzas-pantomimas, como la Akorasi de Acomayo o la de la muerte de Atahualpa; *h*) danzas importadas de sólo diversión, como la contradanza o la "tika-kaswa", (baile florido); *i*) danzas agrícolas, como la del Ayriway, en celebración de la cosecha; *j*) danzas de recorrido, es decir, que se camina y se baila, como las famosas "pandillas" de carnaval. Etcétera.

La Iglesia Católica tuvo parte principal en la introducción de algunas danzas de la época del Dominio español. Trataba de sustituir los bailes idolátricos de los indios con otros que ofrecieran menor peligro a su obra evangelizadora: curas y frailes inventaron o trasladaron danzas y mimos, como "Moros y Cristianos", que reproducía las luchas de aquel tiempo en defensa de la fe.

Obedeciendo a este mismo plan, escribióse y se hizo representar autos sacramentales, inclusive en los idiomas indígenas, como el "Usca Paucar", "El Pobre más Rico" o el "Rapto de Proserpina", debidos a la pluma de eclesiásticos diestros en el manejo de la lengua quechua. Pero, les fué imposible desarraigar la danza vernácula, que no sólo persistía sino proliferaba, apareciendo nuevas obras de franca o velada crítica antiespañola o convirtiendo a personajes terroríficos como el diablo en bufos bailarines de feria.

La mezcla del ritual católico con las viejas prácticas "gentílicas", como en todo proceso de trasculturación, se inició con la Conquista española y continúa hasta nuestro tiempo, bajo la encubridora mirada del cura: ya no puede evitarlo y no se inmuta como ocurría con los célebres "destructores de idolatrías" que en los siglos del Dominio español se convirtieron en tremendos iconoclastas hasta llegar a un morboso erostratismo cuando aten-

taban contra todas las más excelsas manifestaciones del arte
americano; obras magníficas de arquitectura y escultura, ca-
yeron bajo su implacable piqueta: tejidos, cerámica, plumería
eran reducidos a polvo en el afán de extinguir todo vestigio de la
actividad estética precolombina que ellos, los frailes, considera-
ban vitanda, inspirada por el demonio. Pero, si fué consumada
en mucha parte tal obra de destrucción de las cosas o creaciones
materiales, no lograron igual éxito cuando pretendían extinguir
en el alma indígena su fondo filosófico y religioso, su intransferible sentido del cosmos y de la vida humana.

Pese a los siglos transcurridos, tales sentimientos alientan, como
ascua en el rescoldo, en la conciencia del pueblo andino. Son sus
proyecciones el ceremonial de la fiesta pública y los ritos esotéri-
cos celebrados en la clandestinidad, al amparo de la montaña o
el páramo, en esa tierra de nadie donde no ha puesto su garra el
blanco dominador. En los refugios distantes, a tiempo fijo, siguen
las viejas prácticas y bajo la capa de la liturgia cristiana, debi-
damente camuflados, están ahí presentes en el templo o en la
procesión los símbolos antiguos.

Lo más ostensible es la danza, dentro de su sentido oculto. Para
la población no india no es sino una forma escandalosa de divertir-
se, un número pintoresco de la "borrachera de los indios". Gracias
a esa interpretación, la danza puede vivir con su verdadero significado para el nativo, aunque no en la medida que en otros tiempos.

Hay en el calendario días marcados para el ritual católico que
coinciden con los viejos ritos. Por ejemplo, la fiesta del Corpus
Christi que cae en mayo o junio viene como anillo al dedo para
que los indios continúen su antiquísima celebración de la Pascua
del Sol (Inti Raymi), y así lo hacen con una habilidad extraordinaria. Si examinamos el calendario de fiestas católicas celebradas
por los indios, notaremos que ciertas fechas son de primordial

importancia para éstos aun cuando en realidad no lo sean para la Iglesia.

Otras fiestas son universales, es decir, que se observan en toda la extensión de los Andes, como el Día de la Invención de la Cruz (3 de mayo), porque precisamente se relacionan con el mayor acontecimiento anual para los agricultores serranos: el comienzo de la cosecha. La velación de la Cruz del pago ("Cruzvelacuy") no es sino la gentílica ceremonia del Pakariko que antecedía a todo hecho trascendental en la vida incaica.

Es muy sugestivo que el mayor número de fiestas durante el Imperio de los Incas se realizaba entre el término de la cosecha y el comienzo de la siembra; era el interregno agrícola aprovechado para las romerías y las ferias. Hoy es exactamente así. Por ejemplo, la mayor feria y romería perú-boliviana se realiza en el santuario de Copacabana, a orillas del lago Titicaca, entre el 5 y el 8 de agosto de cada año, prolongándose a veces una semana. A ella concurren algunas decenas de miles de indios de una vasta área de ambos países. Es durante dicha feria que se ejecuta el mayor y más variado número de danzas aborígenes y asimiladas.

En el calendario, aparte de estas fiestas generales como la de la Cruz y de ferias como la de Copacabana, figuran otras de muy extendida celebración y las de carácter local dedicadas al patrón del pueblo. En todas, la danza figura como punto esencial. Pero la danza ha quedado relegada al campo, a las aldeas; porque la ciudad comenzó a expelerla en el siglo de la Independencia, por un acto de pudor de "civilizados": las autoridades prohibieron que ingresaran a ella los pintorescos bailarines que ponían una nota de alegría y color en la urbe gris. Durante la época colonial, el Cuzco y Lima mismo eran teatro animadísimo de las danzas de indios y negros.

Algunas danzas indias se han introducido como diversión en
los salones, como la Kaswa y el Kachikachi, aparte del baile bi-
personal: el huayno.

Pierre Verger reúne en este álbum unas ciento cincuenta fo-
tografías en que ha registrado sugerentes aspectos de la vida
de los pueblos indígenas de este lado de Sudamérica, información
que, aparte de su alto valor artístico, tiene un especialísimo in-
terés para cuantos se dedican al estudio del hombre y de las co-
lectividades humanas que pueblan el continente.

Son usos y costumbres de acentuada originalidad los que desfilan por estas páginas. En gran parte proceden de las antiguas
culturas, pero aparecen mezclados con los elementos introduci-
dos por los conquistadores europeos, a partir del siglo XVI. Perú
(y México - Centroamérica) ofrece el espectáculo de una activa
trasculturación: fermentos indígenas y alienígenas se combinan,
y las formas resultantes en el proceso creador suelen distanciarse
de las de su procedencia hasta dar fundamento a la afirma-
ción de que en los Andes germina una nueva cultura.

Al escoger el tema de fiestas andinas, el autor ha obedecido a
un plan bien madurado. Presenta de primera intención al pueblo
indio en aquella fase que revela mejor que ninguna otra las esen-
cias de una cultura: su religiosidad. En efecto —y aunque este
no sea el lugar para discutirlo—, la religión, coetánea con la eco-
nomía desde el momento inicial humano, aprehende mejor que
ésta aquello que de intransferible tiene todo ente de cultura. Es
en lo religioso que el hombre se muestra más conservador y apegado a las fórmulas ancestrales; de ahí, la increíble persistencia
de los más remotos elementos de ese carácter.

La fiesta es la expresión cabal religiosa, en su rica complejidad, en su inagotable poder de atracción. Alrededor de la fiesta gira todo el universo: dioses y hombres se aproximan y estrechan, en el tiempo y en el espacio. Fuera del circuito de la fiesta, el mundo queda como en suspenso. Es la esperada discontinuidad de la monótona existencia. Tanto más expectativa y angustia despertará cuanto más triste y pobre es la vida corriente. Así se explica la enorme importancia de las fiestas andinas para el hombre de esta tierra.

Abren y cierran las páginas del álbum músicos indios tañedores de sendos violines y arpas que han "indianizado". Por el curso del libro desfila la muchedumbre: va apareciendo en el horizonte como si emergiera —de acuerdo con sus mitos— de las entrañas del planeta, brota como el alba, a la indecisa luz del día velada por los humos y vapores de los tempraneros puestos de comidas y bebidas calientes; el fotógrafo ha retratado el frío en la alta montaña con sus hombres embozados en largos "ponchos", pero detona el sol a las pocas horas para iluminar la espléndida figura de San Pedro, pescador en balsa lacustre de vieja factura peruana, procesión en que se mezclan ritos católicos y paganos, a los acordes de zampoña y tamboril; ya se inicia la teoría de enmascarados blandiendo ruecas gigantes y *pendantifs* de pejes de plata; los "negrillos", extraños seres que el indio caricaturiza; los "diablos" con largos y puntiagudos cuernos como sables y tremendos colmillos que recuerdan las máscaras de los peruanos precolombinos; los tocadores de diminutas flautas de Pan y aborlonadas monteras; los toreros cargados de alamares; los disfrazados de gallo con cresta y pico, otros diablos cornúpetos y de largas orejas; la preciosa danza de los *Pulipuli* con sus vistosísimos tocados de plumas y flores y las flautas de caña y *pinku-llus*; los *kenachos* que bailan con sus armaduras de piel de tigrillo y sus pollerines de plumaje multicolor; las mujeres, que giran como trompos, poniendo a la vista sus diez sobrepuestas faldas de llamativos colores; los *Auki-auki*, con sus pelucas blancas y rostro de cuero, representando burlescamente a los españoles de grandes sombreros; los *Chiriwanos*, de origen forestal, tocando la zampoña de largos tubos en doble hilera y el gran tambor; el "sikuri" mayor de Copacabana, con su banda de tamborileros y flautistas; los *ayarachis* de Paratia, con su disforme tocado de plumas que asemeja árbol frondoso y sus mantos blancos o negros, al son de fúnebre melodía; y luego la procesión del apuesto Santiago (identificado con el Rayo), muy de a caballo y con su guardia de Vara, Espada y Bandera, tres grados jerárquicos; (aquí el fotógrafo vuela del altiplano al Cuzco, persiguiendo al celeste caballero, refugiado en el templo de los espejos, Santa Clara, junto a la Virgen, en las vísperas del Corpus); y viene el día de Reyes, con Herodes al balcón y los tres reyes magos (el español, el indio y el negro), "andinizados"; sigue la procesión, con la mujer del "carguyoc" (mayordomo) portando uno de los guiones de plata; y llegamos otra vez al Cuzco para detenernos ante las andas del Señor de los Temblores, el cristo indio, y la Purificada, la bonita divina señora que adoran los blancos; muchedumbre sudorosa de indios cargueros, de indios orantes; otra vez la danza, ahora la de los *Kanchi* o pobladores del valle alto, cargados de gruesas hondas multicolores y ricas varas con aros de plata y bolsas al modo antiguo que guardan la suspirada coca; ahora, la Kachampa de aire marcial y la Koyacha de San Sebastián, muy mestiza en la indumentaria y predominantemente española en la coreografía; es la contradanza de Paucartambo, con sus complicados trajes y máscaras de alambre; y en seguida las danzas irónicas, la del Chujchu que mima el paludismo costeño de que es portador a la sierra el "licenciado" del ejército, vedle allí con el médico de bigotito chaplinesco y el soldadito armado de descomunal jeringa; el grupo de la Sijlla está compuesto de juez, subprefecto, escribano y demás "letrados" del pueblo; cuanto ejecuta son burlescas parodias de "la administración"; así se venga el indio, con sangrienta sátira, de cuantos lo explotan y oprimen. Chilenos y argentinos figuran también en algunas de estas danzas: son por lo general arrieros y comerciantes y con ellos suele presentarse un personaje vestido de jacquet y sombrero de copa que se reconoce como al "abogado". En Checacupe, no lejos del Cuzco, hay una danza especial de "tucumanos", en recuerdo de la arriería colonial y en parte republicana que mantuviera bastante unidos a los departamentos sudperuanos con el norte argentino.

Entre los ejercicios de destreza que se exhibe en la fiesta, es notable uno de equilibrio que practican las mujeres de Quiquijana el día de Santa Rosa: se trata de un poste o mástil de madera de cinco metros de largo que las ejecutantes manejan con los dedos, manteniéndolo vertical, pese a los variados movimientos que le imprimen.

Estamos a la mitad del álbum y todavía se recreará la vista con nuevas danzas del Cuzco, entre las que se destacan algunas de indudable procedencia selvática, como los Wayri Chunchus de Ocongate o los Kara Chunchus de Maras. A los finales del Imperio Incaico (1525-32) continuaba siendo de "moda" para el pueblo y los artistas el tema ferino, porque el avance inca sobre la Amazonia había vuelto a intensificarse bajo Huáscar, en los breves años anteriores a la guerra contra su desleal hermano Atahualpa. El baile "Sursur waylla" es de flagelación entre va rones, prueba viril muy observada en las ceremonias que siguen a la entrada en la pubertad.

Los Llameros de Ayaviri y los Kapaj Kolla de Paucartambo son danzas de competencia y sátira recíprocas, muy frecuentes entre los pueblos indios y aun dentro de las propias comunidades entre las bandas de Arriba y de Abajo ("arribeños" y "abajeños") en que se subdividen.

Entre las muchas obras coreográficas de evidente totemismo, he aquí la del Kusillu y la del Uku Uku, es decir la del Mono y la del Oso.

Una típica ceremonia católico-india es la que se realiza el día de San Isidro Labrador, cuando el cura bendice las yuntas de bueyes y éstas simbólicamente aran en la plaza.

Las corridas de toros han sido muy complacidamente asimiladas a la fiesta andina; no faltan nunca. Pero no sólo se realizan con toros de verdad, sino también con hombres que se disfrazan de tales.

Separándose un poco de la multitud, Verger ha retratado individualidades de "fiesteros": vedles, observadores sonrientes, casi nunca esquivos, casi nunca taciturnos, pese a cuanto de malo les ocurre. Mirad ahora a estos músicos, el de la quena atravesada y el de la anthara o flauta de Pan (zampoña), qué imponente y noble humanidad hay en ellos, en contraste con estos otros dos músicos "sopladores" de instrumentos europeos.

Es la danza carnavalesca "Waylillas" de Huancayo y son de allí también estos magníficos mantos bordados de un historial contemporáneo, ingenuo y primitivo.

Allá van, como si fueran solos, esos panzudos cántaros que llevan la alegría a la fiesta con el dorado líquido que contienen: la chicha.

En este grupo la libación ha comenzado entre risas y cumplidos. La embriaguez asoma. Son diálogos primero amistosos, para tornar en disputas y aun pugilatos. Rostros de bebedores gozosos, riña mujeril en que el insulto es arma poderosa, ved la expresión de la agresora y la de los espectadores, en qué agudo contraste con la sonrisa dulce de la "cacica", esta bella india tocada de un sombrero y vestida de un indumento que dejan atrás la fantasía de los modistos: es una matrona, sin dejar de ser una seductora hembra.

Este es el abrazo indio que no estrecha un cuerpo con otro, que parece más bien explorativo que afectuoso; así, su "apretón de manos", que no llega a serlo, porque la mano india resbala, no estrecha, no aprieta.

El tema de los negros reaparece en Andahuaylas, con su entrada, el embajador y el baile. Las acrobacias de circo se introducen en la fiesta india, aquí, en Talavera, también en zona andahuaylina. Luego, la danza de los pastorcitos de Huancavelica y varios géneros de bailarines enmascarados.

Verger nos trasporta al Ecuador para enseñarnos sugestivas escenas multitudinarias, en que el gran Proteo indio presenta otra faz. En la fiesta de Reyes, en la de San Juan Bautista, es el mismo hombre y la misma colectividad que en el centro o el sur del Perú, Bolivia y aun el norte argentino. En estos grupos de la comida al aire libre o del balance, en la estampa de borrachos y sobre todo en la de su retorno al hogar, la fiesta vive dentro de su gran unidad indohispánica, dentro de la inmensa área de los Andes.

Helos aquí finalmente, tendidos, de cúbito dorsal, inmersos en un sueño reparador: con él termina la fiesta.

Termina también para nosotros el recorrido por este bellísimo libro que presenta a América el dilecto espíritu de Pierre Verger.

Son sus "Fiestas y Danzas en el Cuzco y en los Andes" la primicia de la obra en que está empeñado y que cuenta con la simpatía y devoción de cuantos le comprendemos y admiramos. En esta revelación de América, Francia no podía faltar: su *sprit* perfuma estas páginas.

LUIS E. VALCÁRCEL
DIRECTOR DEL MUSEO NACIONAL
LIMA-PERÚ

FIESTAS Y DANZAS
EN EL CUZCO Y EN LOS ANDES

1. *Tiawanaku* (BOLIVIA)

La *muchedumbre* va apareciendo en el horizonte como
si emergiera, de acuerdo con sus mitos, de las entrañas
del planeta.

The *crowd* appears, coming over the horizon as though
emerging, in accordance with its myths, from the
bowels of the planet.

La *foule* apparait peu a peu à l'horizon comme si elle
émergeait, d'accord avec ses mythes, des entrailles de
la planète.

2. *Rosaspata* (Puno, Perú)

It comes forth like the dawn, into the uncertain light of day veiled by the smoke and vapours of the early morning booths, where food and hot drinks are sold. *Cold* stalks on the high mountain and shoulders are wrapped in long ponchos,

Brota como el alba, a la indecisa luz del día velada los humos y vapores de los tempraneros puestos

3. *Rosaspata* (Puno, PERÚ)

idas y bebidas calientes, *el frío* en la alta montaña
sus hombres embozados de largos "ponchos",

s'étendant comme l'aube, à la lumière indécise du
jour, voilée par les fumées et les vapeurs matinales
des postes où l'on distribue nourriture et boissons
chaudes, le *froid*, en haute montagne, avec les
hommes emmitouflés dans de longs "ponchos",

4. *Tiawanaku* (Bolivia)

but the sun bursts forth in a few hours to light up the figure of *St. Peter,* fishing in a lake boat of ancient Peruvian model.

pero detona el sol a las pocas horas para ilumina figura de

5. *Tiawanaku* (Bolivia)

n Pedro, pescador en balsa lacustre de vieja factura peruana,

mais le soleil surgit, au bout de quelques heures, pour illuminer la silhouette de *Saint Pierre pêcheur,* dans une barque lacustre d'antique facture péruvienne,

6. *Ichu* (Puno, PERÚ)

procesión en que se mezclan ritos católicos y

in the *procession* Catholic and Pagan rites are mingled
to the sound of pipe and drum.

7. *Ichu* (Puno, Perú)

paganos, a los acordes de zampoña y tamboril;

procession où se mêlent rites catholiques et païens,
aux accords de la zampogne et du tambour;

8. *Ichu* (Puno, Perú)

la *multitud*

The *crowd* invades the plaza;

9. *Ichu* (Puno, Perú)

invade la plaza;

la foule envahit la place;

10. *Ichu* (Puno, PERÚ)

ya se inicia la teoría de enmascarados
Cullawas

now begins the spectacle of masked *Cullanas* flourishing enormous distaffs and pendants of silver fish;

11. *Ichu* (Puno, Perú)

blandiendo ruecas gigantes y PENDANTIFS de
peces de plata.

déjà se forme la théorie des *Cullawas* masqués, brandissant des quenouilles géantes et des poissons d'argent en forme de pendentifs.

12. *Ichu* (Puno, PERÚ)

Los "negrillos", *morenos*, extraños

little *dusky negroes*, strange beings whom the Indian
caricatures;

13. *Ichu* (Puno, Perú)

seres que el indio caricaturiza;

Les "negrillos", *noirs*, étranges caricatures imaginées
par l'indien;

14. *Ichu* (Puno, Perú)

los *diablos*, con largos y puntiagudos cuernos co
sables y tremendos

devils with long and sharply pointed horns like sabres
and tremendous tusks, reminiscent of the Peruvian
masks of the era before Columbus.

15. *Ichu* (Puno, Perú)

millos que recuerdan las máscaras de los peruanos precolombinos;

les *Diables*, aux longues cornes pointues en forme de
sabres et de défenses redoutables, qui rappellent les
masques des Péruviens pré-colombiens;

16. *Copacabana* (BOLIVIA)

los *sikuris*, tocadores de diminutas

Sikutis playing on tiny pipes of Pan and wearing
tasselled head dresses;

17. *Copacabana* (BOLIVIA)

lautas de Pan, con sus aborlonadas monteras;

les *sikuris*, en bonnets rayés, jouent sur de minuscules flûtes de Pan,

18. *Copaçabana* (BOLIVIA)

el arcángel *San Miguel* con su ondulante espada;

St. Michael the Archangel with his twisted sword;   *l'archange Saint-Michel*, avec son épée ondulante;

19. *Copacabana* (BOLIVIA)

los *toreros* cargados de alamares;

bull-fighters weighed down with braid;   les *toréadors* chargés de ganses;

20. *Ilave* (Puno, Perú)

tres risueños *espectadores* contemplan

Three smiling *spectators* gaze on;   trois *spectateurs* souriants contemplent

21. *Copacabana* (BOLIVIA)

el *remolino de la danza.*

the *whirl of the dance.*   le *tourbillon de la danse.*

22. *Copacabana* (Bolivia)

Los disfrazados de *gallo*, con cresta y pico;

Those disguised as *cocks* with comb and beak;   Hommes déguisés *en coqs*, avec la crête et le bec;

23. *Copacabana* (Bolivia)

otros *diablos* cornúpetos y de largas orejas;

other *devils* horned and long-eared;

autres *diables*, aux pieds cornus et aux longues oreilles;

24. *Copacabana* (Bolivia)

The lovely dance of the *Puli-Puli* with their spectacular headdresses of feathers and flowers and their cane flutes and "pinkullos".

la preciosa danza de los *Puli-puli* con sus vistosísimos

25. *Copacabana* (BOLIVIA)

tocados de plumas y flores y las flautas
de caña y "pinkullos".

la jolie danse des *puli-puli*, avec ses brillantes coiffures de plumes et de fleurs, les flûtes de roseaux et
les *pinkullos*.

26. *Tiawanaku* (Bolivia)

El día de *San Pedro*

St. Peter's Day   La fête de *Saint-Pierre*

27. *Tiawanaku* (Bolivia)

los *kenachos* que bailan

the dancing *Kenachos*   les *kenachos* dansant

28. *Tiawanaku* (Bolivia)

con sus armaduras de piel de tigrillo

with their battle-dress of tiger skins,   avec leurs armures de peau de petits tigres

29. *Tiawanaku* (BOLIVIA)

y sus pollerines de plumaje **multicolor;**

and their skirts of many-hued plumage.

et leurs *jupons* de plumes multicolores.

30. *Ilave* (Puno, PERÚ)

las mujeres que giran como trompos poniendo a

the women spinning like tops, displaying layer upon
layer of brightly coloured petticoats,

31. *Ilave* (Puno, Perú)

ta sus sobrepuestas faldas de llamativos colores

les femmes qui tournent comme des toupies, montrant leurs jupes superposées aux couleurs vives

32. *Ilave* (Puno, Perú)

como flores invertidas

like inverted flowers,   comme des fleurs retournées

33. *Ilave* (Puno, PERÚ)

desfilan para el *Wayno*.

parade for the *Wayno*.

défilent pour le *Wayno*.

34. *Rosaspata* (Puno, Perú)

The *Auki-Auki* with their white wigs and leather faces burlesquing the Spaniards with their enormous hats;

Los *Auki-auki* con sus pelucas blancas y rostro de cuero,

35. *Rosaspata* (Puno, Perú)

representando burlescamente a los españoles
de grandes sombreros;

Les *Auki-auki*, avec leur perruque blanche et leur
visage de cuir représentent de manière burlesque les
Espagnols aux grands chapeaux;

36. *Copacabana* (Bolivia)

los *chiriwanos*, de origen forestal, tocando la z[

the *chiriwanos* from the forests playing the long-tubed, double-rowed "zampona" and the big drum;

37. *Copacabana* (BOLIVIA)

ña de largos tubos en doble hilera y el gran tambor;

les *chiriwanes*, originaires de la forêt, jouant de la
zampogne, chalumeau à la double file de longs tuyaux,
et battant leur grand tambour;

38. *Copacabana* (Bolivia)

the *Great Sikuri* from Copacabana with his band of drummers and pipers;

el *sikuri mayor* de Copacabana, con

39. *Copacabana* (Bolivia)

su banda de tamborilleros y flautistas;

le *grand sikuri* de Copacabana, avec son orchestre
de tambourinistes et de flûtistes;

40. *Lampa* (Puno, Perú)

the "ayarachis" from **Paratia**, with their shapeless feather headdresses like leafy trees and their black and white mantles, moving to a funeral melody.

los "ayarachis" de Paratia, con su disforme toc[a]
de plumas que asemeja

41. *Lampa* (Puno, PERÚ)

ol frondoso y sus mantos blancos o negros, al son
de fúnebre melodía.

les *Ayarachis*, de Paratia, avec leur énorme coiffure
de plumes, qui rappelle un arbre feuillu, et leurs capes blanches ou noires, défilent aux sons d'une mélodie funèbre.

42. *Lampa* (Puno, PERÚ)

The procession of gallant *St. James* (identified with
the thunderbolt), very much the horseman and with
his guard of Staff, Sword and Banner, three degrees
of hierarchy.

La procesión del apuesto *Santiago* (identificado co
rayo) muy de a caballo

43. *Lampa* (Puno, Perú)

con su guardia de Vara, Espada y Bandera,
tres grados jerárquicos.

La procession du Saint-Jacques à la belle prestance
(identifié à l'éclair) hardi cavalier, avec sa garde composée du *Baton*, de *l'Epée*, et du *Drapeau*, trois degrés dans la hiérarchie.

44. *Cuzco* (Cuzco, Perú)

Vuela del altiplano al Cuzco el celeste caballero,
refugiado en el templo de los espejos, Santa Clara,
junto a la Virgen, en las vísperas del *Corpus*;

The celestial horseman flies from the table-land to Cuzco, and takes refuge in St. Claire's, the church of the mirrors, beside the Virgin, on the eve of *Corpus*;

Le cavalier céleste vole du haut plateau à Cuzco, où il se réfugie dans le temple aux miroirs, *Sainte Claire*, près de la vierge, la veille du Jeudi-Saint.

45. *Cuzco* (Cuzco, Perú)

y aquí va la *ofrenda* de flores que la mestiza arroja al
aire;

and here is the *offering* of flowers, thrown into the
air by the mestiza;

et voici *l'offrande* de fleurs que la métisse lance en
l'air;

46. *San Pablo* (Cuzco, Perú)

y viene el día de los Reyes con *Herodes* al balcón

and the day of Kings arrives, with *Herods* on the balcony

puis vient le jour des Rois avec *Hérode* au balcon

47. *San Pablo* (Cuzco, Perú)

y los tres *Reyes* Magos (el español, el indio y el negro)
andinizados;

and the three *Magi* (the Spaniard, the Indian and
the Negro), as they are conceived in the Andes;

et les trois *rois Mages* (l'espagnol, l'indien et le nègre) à la mode des Andes;

48. *San Pablo* (Cuzco, PERÚ)

the *procession*, with the "carguyoc's" (Mayordomo's) wife carrying the silver mace.

sigue la *procesión*, con la mujer del "carguy

49. *San Pablo* (Cuzco, Perú)

(mayordomo) portando el guión de plata.

ensuite la *procession;* la femme du "carguyoc" (intendant) portant le guidon d'argent.

50. *Cuzco* (Cuzco, Perú)

Llegamos otra vez al Cuzco para detenernos ante las
andas del *Señor de los Temblores, el Cristo indio,*

We come again to Cuzco, to stand before the litter
on which is borne the *Lord of Earthquakes,* the Indian
Christ,

De retour à Cuzco, nous nous arrêtons devant le
brancard du *Seigneur des Tremblements,* le Christ
indien,

51. *Cuzco* (Cuzco, PERÚ)

y la *Purificada*, la Señora que adoran los blancos.

and *She who was Purified*, the Lady whom white men adore.

et la *Très-pure*, la Dame qu'adorent les Blancs.

52. *Cuzco* (Cuzco, Perú)

Muchedumbre sudorosa

A crowd of perspiring *Indian bearers*,

53. *Cuzco* (Cuzco, Perú)

de *indios cargueros,*

Multitude suante *d'Indiens porteurs,*

54. *Ocongate* (Cuzco, Perú)

de *indios*

indians kneeling in prayer.

55. *Ocongate* (Cuzco, Perú)

orantes.

d'Indiens en prières.

56. *Keromarca* (Cuzco, Perú)

Then the dance again, this time the dance of the *Kanchi*, the people of the high valley, decked with bulky, multi-coloured slings, with their rich staffs and silver earrings and pouches in the old style to hold their precious coca;

Otra vez la danza, ahora la de los *Kanchi* o poblad del valle alto, cargados de gruesas hondas multicol

57. *Keromarca* (Cuzco, Perú)

icas varas con aros de plata y bolsas al modo
antiguo que guardan la suspirada coca;

De nouveau la danse, cette fois celle des *Kanchi*, habitants de la haute vallée, chargés de grosses frondes
multicolores, de baguettes richement ornées d'anneaux d'argent, et de bourses à la mode d'autrefois qui
contiennent la coca tant désirée;

58. *Keromarca* (Cuzco, Perú)

ahora la *Kachampa*

now comes the *Kachampa* of war-like mien,

59. *Keromarca* (Cuzco, Perú)

de aire marcial

voici maintenant la *Kachampa* d'aspect martial

60. *San Sebastián* (Cuzco, Perú)

y la *Koyacha* de San Sebastián, muy mestiza
en la indumentaria

and the *Koyacha* from San Sebastian, very much
the mestiza in dress but predominantly Spanish in
coreography;

61. *San Sebastián* (Cuzco, Perú)

y predominantemente española en la
coreografía;

et la *Koyacha* de Saint-Sebastien, très métissée dans
le costume, mais surtout espagnole pour la chorégraphie;

62. *Paucartambo* (Cuzco, Perú)

es la *Contradanza* de Paucartambo, con sus

the Paucartambo *Quadrille*, with its elaborate costumes and wire masks.

63. *Paucartambo* (Cuzco, Perú)

complicados trajes y máscaras de alambre.

la *contre-danse* de Paucartambo, aux costumes compliqués et aux masques en fil de fer.

64. *Ocongate* (Cuzco, Perú)

The burlesque dances, that of the *Chujchu* which mimes the victim of malaria; look at him there with the physician of the Chaplinesque moustache and the assistant with his gargantuan syringe;

Las danzas irónicas, la del *Chujchu* que mima palúdico; vedle allí con el médico

65. *Ocongate* (Cuzco, Perú)

bigotito chaplinesco y el ayudante armado de descomunal jeringa;

Les danses satiriques, celle du *Chujchu* qui mime le paludisme. Remarquez la petite moustache chaplinesque du médecin et l'aide armé d'une seringue peu commune,

66.   *Paucartambo* (Cuzco, PERÚ)

the *Sijlla* group is made up of Judge, Subprefect, Notary and other village luminaries, its function being to parody the administration; thus does the indian avenge himself in virulent satire on those who exploit and oppress him.

el grupo de la *Sijlla* está compuesto de Ju Subprefecto, Escribano y demás "letrados" pueblo; cuanto ejecuta

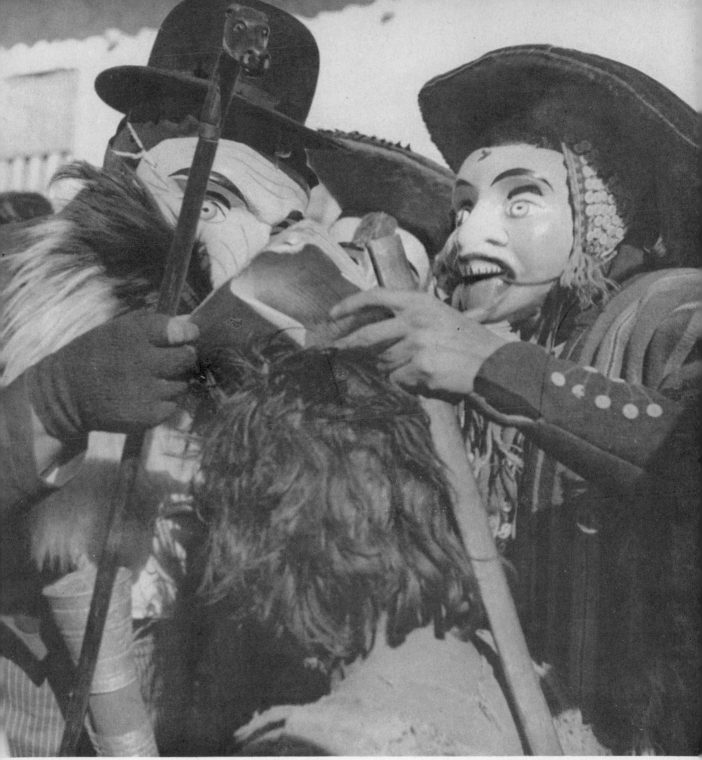

67. *Paucartambo* (Cuzco, PERÚ)

burlescas parodias de "la administración"; así se
ga el indio, con sangrienta sátira, de cuantos lo
explotan y oprimen;

le groupe de la *sijlla*, composé du juge, du sous-préfet,
du notaire et des autres "notables" du village; tout
ce qu'ils exécutent est une burlesque parodie de
"l'Administration"; c'est par cette satire sanglante
que l'Indien se venge de tous ceux qui l'exploitent et
l'oppriment;

68. *Ocongate* (Cuzco, Perú)

Chileans, too, appear in some of these dances; they are usually cattle-drivers and traders, and in their company usually appears a personage in frock-coat and top hat who is easily recognizable as the lawyer;

Chilenos figuran también en algunas de estas danza son por lo general arrieros y comerciantes y con ell

69. *Ocongate* (Cuzco, Perú)

le presentarse un personaje vestido de jacquet y
brero de copa que se reconoce como al "abogado";

des *Chiliens* figurent aussi dans quelques-unes de ces
danses; ce sont en général des muletiers et des commerçants, et avec eux se présente d'ordinaire un personnage en jaquette et chapeau melon, en qui on
reconnait *l'Avocat*;

70. *Keromarca* (Cuzco, Perú)

y aquí los *Argentinos*

and here are the *Argentines* with their ponchos and
muleteers' lassoes.

71. *Keromarca* (Cuzco, Perú)

con sus ponchos y lazos arrieriles.

ici, les Argentins, avec leurs ponchos et leurs "lazos"
de muletiers.

72. *Checacupe* (Cuzco, Perú)

The dance of the *Tucumanos*, in memory of the mule-driving trade which in Colonial and early Independence days kept the departments of Southern Perú and Northern Argentina in close contact.

La danza de *tucumanos*, en recuerdo de la arrie colonial y en parte republicana

73. *Checacupe* (Cuzco, PERÚ)

mantuviera bastante unidos a los departamentos sudperuanos con el norte argentino.

La danse des *Tucumanais*, en souvenir des muletiers qui, à l'époque coloniale et pendant une partie de la République, maintinrent une certaine union entre les départements du Sud Péruvien et le Nord argentin.

74. *Paucartambo* (Cuzco, PERÚ)

Los *negritos* de Paucartambo

The Paucartambo *Negritos* with their grotesque masks.

75. *Paucartambo* (Cuzco, Perú)

con sus máscaras grotescas.

Les *Petits Nègres* de Paucartambo avec leurs masques grotesques.

76. *Quiquijana* (Cuzco, Perú)

Among the feats of skill exhibited at the festival a balancing act performed by the women of Quiquijana on St. Rose's Day is worthy of note. It is called the *Capitana*. The performers balance on their fingers a wooden pole or mast five metres long keeping it vertical in spite of the varied movements to which they subject it.

Entre los ejercicios de destreza que se exhiben en fiesta, es notable uno de equilibrio que practican mujeres de Quiquijana el día de Santa Rosa: *Capitana*.

77. *Quiquijana* (Cuzco, Perú)

trata de un poste o mástil de madera de cinco me-
s de largo que las ejecutantes manejan con los de-
s, manteniéndolo vertical, pese a los variados movimientos que le imprimen.

Parmi les exercices d'adresse que l'on voit à la fête,
on remarque cet exercice d'équilibre qu'exécutent les
femmes de Quiquijana, le jour de Sainte-Rose: *La
Capitaine*. Cela consiste à maintenir vertical, malgré
les mouvements variés qu'elles lui impriment, en un
mât de bois de cinq mètres de long qu'elles soutie-
nnent de leurs doigts.

78. *San Sebastián* (Cuzco, Perú)

En San Sebastián y delante del Templo

Before the Church in San Sebastian they dance the
Wayno,

79. *San Sebastián* (Cuzco, Perú)

se baila el *Wayno*

A Saint-Sébastien, devant le temple, on danse le
Wayno

80. *San Sebastián* (Cuzco, Perú)

y luego la extraña danza

and then the strange dance of the *foreign Chunchu*.

81. *San Sebastián* (Cuzco, PERÚ)

del *Chunchu extranjero*.

puis l'étrange danse du *Chunchu étranger*.

82. *Ocongate* (Cuzco, Perú)

Los *Wayri Chunchus*

The *Wayri Chunchus* from Coongate,

83. *Ocongate* (Cuzco, Perú)

de Ocogate

Les *Wayri Chunchus* de Ocongate

84. *Maras* (Cuzco, Perú)

y los *Kara Chunchus* de Maras son

and the *Kara Chunchus* from Maras, which are
undoubtedly dances of forest origin.

85. *Maras* (Cuzco, Perú)

ndudablemente danzas de procedencia selvática.

et les *Kara Chunchus* de Maras sont évidemment
d'origine forestière.

86. *Maras* (Cuzco, Perú)

The *Sursur Waylla* dance is a form of flagellation amongst youths, a test of virility very much practised in the ceremonies which follow upon puberty.

El baile *Sursur waylla* es la flagelación entre varones prueba viril

87. *Maras* (Cuzco, Perú)

y observada en las ceremonias que siguen a la
entrada en la pubertad.

La danse *Sursur Waylla* est la flagellation entre
hommes, épreuve virile strictement observée dans les
cérémonies qui suivent l'entrée à la puberté.

88. *Ayaviri* (Puno, Perú)

Los *llameros*

The *Llameros* of Ayaviri

89. *Ayaviri* (Puno, Perú)

de Ayaviri

Les *llameros* d'Ayaviri

90. *Paucartambo* (Cuzco, Perú)

y los *Kapaj Kolla*

and the *Kapaj Kolla* from Paucartambo,

91. *Paucartambo* (Cuzco, PERÚ)

de Paucartambo

et les *Kapaj Kolla* de Paucartambo.

92 . *Paucartambo* (Cuzco, Perú)

son danzas de competencia y sátira recíprocas.

are dances of mutual contest and satire.   sont des danses d'émulation et de satire réciproque.

93. *Paucartambo* (Cuzco, Perú)

Entre las muchas obras coreográficas de evidente
totemismo

Among the many obviously totemistic dances   Parmi les nombreuses expressions chorégraphiques
d'un totémisme évident,

94. *Ocongate* (Cuzco, PERÚ)

he aquí la del *Kusillu* y la del *Uku Uku*, es dec[

here are those of the *Kusilla* and the *Uku Uku*, the
monkey and the bear.

95. *Ocongate* (Cuzco, Perú)

la del mono y la del oso.

figurent le *Kousillou* et le *Oukou Oukou*, c'est-à-dire
danses du singe et de l'ours,

96. *San Pedro* (Cuzco, PERÚ)

A typical Indian-Catholic ceremony is that performed on the day of *St. Isidore the Farmer*, when the priest blesses the yokes of oxen and these symbolically plough in the plaza.

Una típica ceremonia católico-india es la que se real el día de *San Isidro Labrador*

97. *San Pedro* (Cuzco, Perú)

ndo el cura bendice las yuntas de bueyes y éstas
simbólicamente aran en la plaza.

Une cérémonie typiquement catholico-indienne se
réalise le jour de *San Isidro Laboureur*, quand le curé
bénit les attelages de boeuf qui labourent symboliquement la place.

98. *San Sebastián* (Cuzco, Perú)

La impresión profunda del *torero*

The deep impression made by the *Bull-fighter* on the
Indian imagination inspires the dance,

99. *San Sebastián* (Cuzco, Perú)

en la imaginación india crea la danza

Danse née de l'impression profonde que produit le
torero sur l'imagination indienne

100. *Paucartambo* (Cuzco, Perú)

y el mimo de la fiesta taurina

and the mimic bull-fight (the *Waca Waca* dance).

101. *Paucartambo* (Cuzco, Perú)

(Baile *Waca Waca*).

et le mime des fêtes taurines (Danse *Waca Waca*).

102. *Tinta* (Cuzco, Perú)

Las corridas de toros han sido muy complacidamen

Bull-fighting has been very willingly accepted as a
part of the Andine festival; it is never lacking.

103. *Tinta* (Cuzco, Perú)

asimiladas a la fiesta andina; no faltan nunca.

Les courses de taureaux ont été volontiers introduites
dans la fête andine; elles ne manquent jamais.

104. *Paucartambo* (Cuzco, Perú)

Y éste es

And these are the *spectators;*

105. *Paucartambo* (Cuzco, Perú)

el *público* observador;

Et voici le *public* attentif:

106. *Ocongate* (Cuzco, PERÚ)

tanto la mujer como el hombre

women as well as men in *festival headdresses*.

107. *Paucartambo* (Cuzco, PERÚ)

con sus *monteras de fiesta*.

les femmes ton autant que les hommes, avec leurs
bonnets de fête.

108. *Lampa* (Puno, Perú)

Esta de *Paratia*

One from *Paratia*,   Celle-ci de *Paratia*.

109. *Ayaviri* (Puno, PERÚ)

y la otra de *Ayaviri;*

and another from *Ayaviri;*

et cette autre de *Ayaviri;*

110. *Paucartambo* (Cuzco, Perú)

ahora las de Paucartambo con sus típicas
manteletas y monteras; una del *pueblo*

now women of Paucartambo with their distinctive
short mantles and caps; one from the *town*,

maintenant ceux de Paucartambo, avec leurs man-
telets et leurs bonnets caractéristiques, une du *village*,

111. *Paucartambo* (Cuzco, Perú)

y la otra de la *cordillera*.

and the other from the *hills*.

une autre de la *Cordillère*.

112. *Lampa* (Puno, Perú)

Llamas

Llamas   *Llamas*

113. *Ocongate* (Cuzco, Perú)

y *mujeres*.

and *women*.   et *Femmes*.

114. *Tinta* (Cuzco, Perú)

Mirad ahora a estos *músicos*,
el de la *quena* atravesada

Now look at these *musicians*, one with the crossed
quena

Regardez maintenant ces musiciens, celui-ci avec la
quena croisée,

115. *Tiawanaku* (BOLIVIA)

y el de la *anthara* o flauta de Pan (zampoña), qué
imponente y noble humanidad hay en ellos,

and another with the *anthara* or pipes of Pan. How
noble and impressive their stature

cet autre avec *l'anthara*, ou flûte de Pan (zampogne),

116. *Tinta* (Cuzco, Perú)

en contraste con estos otros dos *músicos*

in contrast with these other two *musicians*

quel contraste avec ces deux autres,

117. *Quiquijana* (Cuzco, Perú)

sopladores de instrumentos *europeos*.

blowers of *European* instruments.   qui *soufflent* dans des instruments *européens*.

118. *Huancayo* (Junín, PERÚ)

Es la danza carnavalesca

This is the *Waylillas*, the carnival dance of Huancayo,

Waylillas de Huancayo

Danse carnavalesque *Waylillas* de Huancayo.

120. *Huancayo* (Junín, Perú)

whence come also these magnificent *embroidered mantles* with their simple, primitive depiction of contemporary affairs.

y son de ahí también estos magníficos *mantles bordados*

121. *Huancayo* (Junín, Perú)

de un historial contemporáneo, ingenuo y
primitivo.

Du même endroit ces magnifiques capes brodées,
d'inspiration contemporaine ingénue et primitive.

122. *Andahuaylas* (Apurimac, PERÚ)

El tema de los *negros* reaparece en Andahuaylas
con su baile,

The *negro* motif appears again in Andahuyaylas with
their dance,

Le thème des *nègres* reparaît à Andahuaylas, avec sa
danse,

123. *Andahuaylas* (Apurimac, PERÚ)

su cruz,

their cross,   sa croix,

124. *Talavera* (Apurimac, Perú)

y su árbol (*mallki*).

and their tree (*Wallki*).   et son arbre (*mallki*).

125. *Talavera* (Apurimac, PERÚ)

Las *acrobacias* de circo se introducen en la fiesta
india.

Circus *acrobatics* invade the Indian festival.

Les *acrobaties* de cirque s'introduisent dans la fête
indienne.

126. *Huancavelica* (Huancavelica, PERÚ)

Luego, la danza de los

Then the dance of the *little shepherds* of Huancavelica,

127. *Huancavelica* (Huancavelica, Perú)

pastorcitos de Huancavelica

Puis la danse des *Pastoureaux* de Huancavelica,

128. *Huancavelica* (Huancavelica, Perú)

y varios géneros de

and many types of *masked* dances.

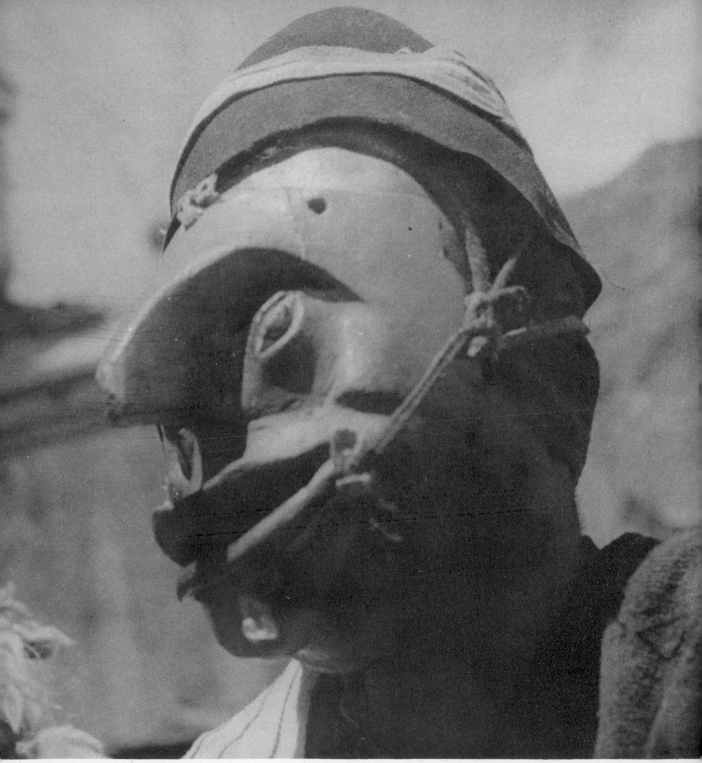

129.   *Huancavelica* (Huancavelica, Perú)

bailarines *enmascarados*.

et différentes sortes de danseurs *masqués*.

130. *Keromarca* (Cuzco, Perú)

Allá van como si fueran solos esos panzudos *cántaros*

There go the pot-bellied *pitchers* as if under their own power,

Ces vases pansus ont l'air de marcher tout seuls;

131. *Pisac* (Cuzco, Perú)

que llevan la alegría a la fiesta con el dorado líquido
que contienen: *La chicha.*

bringing gaiety to the feast in the golden liquid that
they hold: *Chicha.*

ils apportent la gaîté à la fête, avec le liquide doré
qu'ils contiennent: la *chicha.*

132. *Keromarca* (Cuzco, Perú)

En este grupo *la libación* ha comenzado

In this group *drinking* has begun amidst laughter
and compliments.

133. *Keromarca* (Cuzco, Perú)

entre risas y cumplidos.

Dans ce groupe, les *libations* ont commencé au milieu
des rires et des compliments.

134. *Quiquijana* (Cuzco, Perú)

Drunkenness approaches. Friendly dialogues degenerate into quarrels and even fisticuffs.

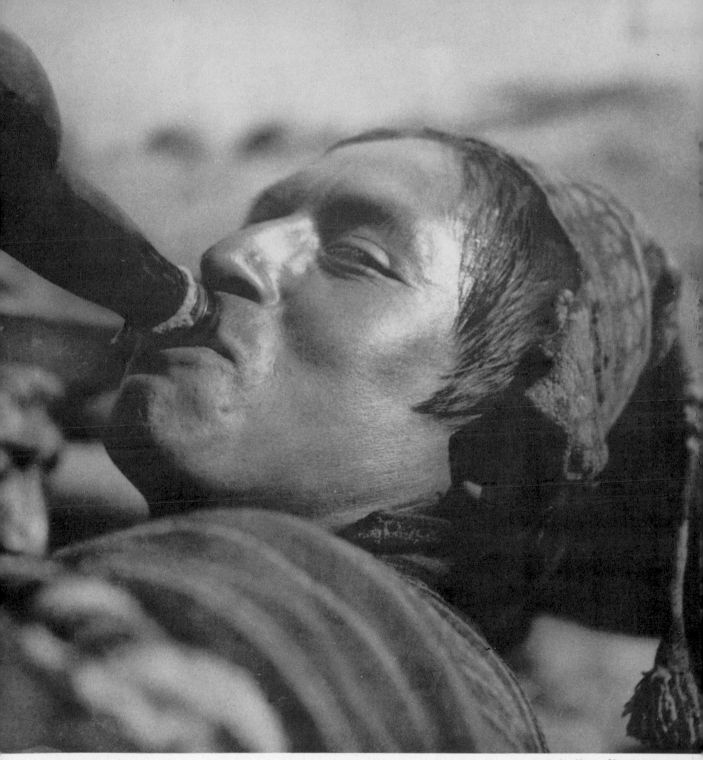

135. *Quiquijana* (Cuzco, Perú)

sos, para tornar en disputas y aun pugilatos.

L'*ivresse* perce: cela commence par des conversations
pour se changer en disputes et même en pugilats.

136. *Pisac* (Cuzco, Perú)

Rostros de

Faces of merry *drinkers*.

137. *Cuzco* (Cuzco, Perú)

bebedores gozosos.

Visages de *buveurs* satisfaits.

138. *Tinta* (Cuzco, PERÚ)

Riña mujeril en que el insulto es arma poderosa; ved
la expresión de la agresora y la de los espectadores

When women fight insult is a powerful weapon. Note
the expressions of the agressor and the spectators,

Dispute entre femmes; l'insulte y est une arme puissante: voyez l'expression de l'attaquante et des spectatrices,

en qué agudo contraste con la *sonrisa* dulce de la "Cacica", esta bella india tocada de una montera y vestida de un indumento que dejan atrás la fantasía de los modistos: es una matrona, sin dejar de ser una seductora hembra.

139. *Keromarca* (Cuzco, PERÚ)

and in what sharp contrast the sweet *smile* of the "Cacica", this beautiful Indian with her mountain headdress and her gown that puts to shame the creations of the modistes. She is a matron, but has lost nothing of her youthful charm.

quel contraste frappant avec le doux sourire de *la cacique*, cette belle indienne! Le bonnet qui la coiffe et le vêtement qui l'habille laissent loin derrière eux la fantaisie des couturiers; c'est une matrone, qui ne laisse pas d'être une femme séduisante.

140. *Checacupe* (Cuzco, PERÚ)

This is the Indian *embrace* which does not draw the
bodies together, for it is more tentative than affectionate; similarly their "handshake" is not truly such
because the hand of the Indian slides; it does not
press or grasp.

Este es el *abrazo* indio que no estrecha un cuerpo co
otro, que parece más bien explorativo que afectuos

141. *Pisac* (Cuzco, Perú)

…í, su "apretón" de manos, que no llega a serlo, por-
…e la mano india resbala, no estrecha, no aprieta.

L'accolade indienne n'étreint pas un corps contre un
autre, et semble plutôt "exploratrice" qu'affectueuse;
de même, la poignée de mains, ne parvient pas à être
une étreinte: la main indienne glisse, ne serre pas,
ne presse pas.

142. *Otavalo* (ECUADOR)

And this is Ecuador, in Otavalo, a crowded scene in which the great Indian Proteus appears under another aspect, in the festival of *St. John the Baptist*, during the traditional dispute amongst parishes.

Y éste es el Ecuador; en Otavalo, escena multitudi-naria en que el gran Proteo Indio

143. *Otavalo* (ECUADOR)

esenta otra faz, en la fiesta de *San Juan Bautista*,
con la tradicional lucha entre parroquias.

Voici l'Equateur; a Otavalo, scène de foule; le grand
Protée indien présente un autre de ses aspects, à la
fête de *St. Jean Baptiste*, avec la lutte traditionnelle
entre paroisses.

144. *Otavalo* (Ecuador)

En estos grupos de la *comida* al aire libre,

In these groups showing open-air *feasting*,

Dans ces groupes de *dîneurs* à l'air libre,

145. *Otavalo* (Ecuador)

del *balance*,

balancing feats,

de gens qui se balancent,

146. *Otavalo* (ECUADOR)

de los *borrachos,*

drunkards,   et d'ivrognes

147. *Olavalo* (ECUADOR)

y sobre todo en la del *retorno al hogar*, la fiesta vive
dentro de su gran unidad indohispánica en la inmensa área de los Andes.

and above all the *home-coming*, the festival portrays
that great Indo-Hispanic unity which spreads over
the immense area of the Andes.

et surtout dans celui du *retour à la maison*, la fête
vit sa grande unité indio-hispanique, à travers l'immense étendue des Andes.

148. *Otavalo* (Ecuador)

Helos aquí finalmente, tendidos de cúbito dorsal, inmersos en un sueño reparador: Con ellos *termina la fiesta.*

And see them here at last, stretched full length and soundly sleeping. *So ends the festival.*

Les voici finalement, couchés sur le dos, plongés dans un sommeil réparateur: la *fête est terminée.*

APENDICE

CALENDARIO

FECHA	FIESTA	LUGAR	LÁMINAS
1 Enero	*Circuncisión*	Andahuaylas	122, 123.
3 »	*Dulce N. de Jesús* .	Quiquijana	117, 134, 135.
6 »	*Reyes*	San Pablo	46, 47, 48, 49.
6 »	*Reyes*	Huancavelica	126, 127, 128, 129.
20 »	*San Sebastián*	San Sebastián.....	60, 61, 78, 79, 80, 81, 98, 99.
Marzo	*Carnaval*	Huancayo	118, 119, 120, 121.
Abril	*Lunes Santo*	Cuzco	50.
3 Mayo	*La Cruz*	Keromarca	56, 57, 58, 59, 70, 71, 130, 132, 133, 139.
15 »	*San Isidro*	San Pedro	96, 97.
Junio	*Pentecostés*	Rosaspata.........	2, 3, 34, 35.
»	*Corpus*............	Cuzco	44, 45, 50.
»	*Corpus*............	Ocongate	54, 55, 64, 65, 68, 69, 82, 83, 94, 95, 106, 113.
24 »	*San Juan Bautista* .	Otavalo	142, 143, 144, 145, 146, 147, 148.
29 »	*San Pedro*	Tiawanako	1. 4, 5, 26, 27, 28, 29, 30, 115.
29 »	*San Pedro*	Ichu.............	6, 7, 8, 9, 10, 11, 12, 13, 14, 15.
16 Julio	*V. del Carmen*	Paucartambo	62, 63, 66, 67, 74, 75, 90, 91, 92, 93, 100, 101, 104, 105, 107, 110, 111.
25 »	*Santiago*	Cuzco	52, 53, 137.
25 »	*Santiago*	Lampa	40, 41, 42, 43, 108, 112.
5 Agosto......	*V. de Copacabana*..	Copacabana	16, 17, 18, 19, 21, 22, 23, 24, 25, 36, 37, 38, 39.

Fecha	Fiesta	Lugar	Láminas
10 Agosto......	*San Lorenzo*	Checacupe	72, 73, 140.
15 »	*Asunción*..........	Maras	84, 85, 86, 87.
22 »	*Oct. de Asunción*...	Pisac	131, 136, 141.
24 »	*San Bartolomé*	Tinta	102, 103, 114, 116, 138.
30 »	*Santa Rosa*........	Quiquijana	76, 77.
8 Septiembre ..	*Natividad*	Ayaviri	88, 89, 109.
25 Diciembre...	*Navidad*	Talavera	124, 125.

BAILES

Argentinos 70, 71
Auki Auki o Achachi Cumu . 34, 35
Ayarachis 40, 41
Capitana 76, 77
Contradanza 62, 63
Cullawas 10, 11
Chilenos 68, 69
Chiriwanos 36, 37
Chujchu 64, 65
Chunchus extranjeros 80, 81
Diablos 14, 15
Kachampa 58, 59
Kanchi 56, 57
Kapa Kolla 90, 91, 92
Kara Chunchu 84, 85
Kenacho 26, 27, 28, 29
Koyacha 60, 61
Kusillu 93, 94

Llameros 88, 89
Morenos................... 12, 13
Negritos 74, 75
Negros 122, 123, 124
Pastorcitos 126, 127, 128, 129
Puli-Puli 24, 25
Sijlla 66, 67
Sikuris o Pusa Morenos, 16, 17, 18, 19,
    21, 22, 23
Sikuris mayor 38, 39
Sur Sur Waylla 86, 87
Toreros 98, 99
Tucumanos 72, 73
Uku Uku.................. 95
Waca Waca 100, 101
Waylillas 118, 119
Waynos 30, 31, 32, 33, 78, 79
Wayri Chunchus 82, 83

LUGARES

BOLIVIA .... Copacabana ...... 16, 17, 18, 19, 21, 22, 23, 24, 25, 36, 37, 38, 39.

Tiawanaku .... 1, 4, 5, 26, 27, 28, 29, 115.

ECUADOR .... Otavalo .... 142, 143, 144, 145, 146, 147, 148.

PERÚ:

Apurimac ...... Andahuaylas ...... 122, 123.

Talavera .... 124, 125.

Cuzco .... Cuzco .... 44, 45, 50, 51, 52, 53, 137.

Checacupe .... 72, 73, 140.

Keromarca .... 56, 57, 58, 59, 70, 71, 130, 132, 133, 139.

Maras .... 84, 85, 86, 87.

Ocongate .... 54, 55, 64, 65, 68, 69, 82, 83, 94, 95, 106, 113.

Paucartambo ..... 62, 63, 66, 67, 74, 75, 90, 91, 92, 93, 100, 101, 104, 105, 107, 110, 111.

Pisac .... 131, 136, 141.

Quiquijana .... 76, 77, 117, 134, 135.

San Pablo .... 46, 47, 48, 49.

San Pedro .... 96, 97.

San Sebastián .... 60, 61, 78, 79, 80, 81, 98, 99.

Tinta .... 102, 103, 114, 116, 138.

Huancavelica .... Huancavelica ..... 126, 127, 128, 129.

Junín .... Huancayo .... 118, 119, 120, 121.

Puno .... Ayaviri .... 88, 89, 109.

Ichu.............. 6, 7, 8, 9, 10, 11, 12, 13, 14, 15.

Ilave .... 20, 30, 31, 32, 33.

Lampa .... 40, 41, 42, 43, 108, 112.

Rosaspata......... 2, 3, 34, 35.

INDICE

CORRELATIVO DE LAS LAMINAS

N.º	Lugar	N.º	Lugar
1	Tiawuanaku (Bolivia).	26	Tiawuanaku (Bolivia).
2	Rosaspata.	27	Tiawuanaku (Bolivia).
3	Rosaspata.	28	Tiawuanaku (Bolivia).
4	Tiawuanaku.	29	Tiawuanaku (Bolivia).
5	Tiawuanaku.	30	Ilave.
6	Ichu.	31	Ilave.
7	Ichu.	32	Ilave.
8	Ichu.	33	Ilave.
9	Ichu.	34	Rosaspata.
10	Ichu.	35	Rosaspata.
11	Ichu.	36	Copacabana.
12	Ichu.	37	Copacabana.
13	Ichu.	38	Copacabana.
14	Ichu.	39	Copacabana.
15	Ichu.	40	Lampa.
16	Copacabana (Bolivia).	41	Lampa.
17	Copacabana (Bolivia).	42	Lampa.
18	Copacabana (Bolivia).	43	Lampa.
19	Copacabana (Bolivia).	44	Cuzco.
20	Ilave.	45	Cuzco.
21	Copacabana (Bolivia).	46	San Pablo.
22	Copacabana (Bolivia).	47	San Pablo.
23	Copacabana (Bolivia).	48	San Pablo.
24	Copacabana (Bolivia).	49	San Pablo.
25	Copacabana (Bolivia).	50	Cuzco.

N.º	Lugar	N.º	Lugar
51	Cuzco.	92	Paucartambo.
52	Cuzco.	93	Paucartambo.
53	Cuzco.	94	Ocongate.
54	Ocongate.	95	Ocongate.
55	Ocongate.	96	San Pedro.
56	Keromarca.	97	San Pedro.
57	Keromarca.	98	San Sebastián.
58	Keromarca.	99	San Sebastián.
59	Keromarca.	100	Paucartambo.
60	San Sebastián.	101	Paucartambo.
61	San Sebastián.	102	Tinta.
62	Paucartambo.	103	Tinta.
63	Paucartambo.	104	Paucartambo.
64	Ocongate.	105	Paucartambo.
65	Ocongate.	106	Ocongate.
66	Paucartambo.	107	Paucartambo.
67	Paucartambo.	108	Lampa.
68	Ocongate.	109	Ayaviri.
69	Ocongate.	110	Paucartambo.
70	Keromarca.	111	Paucartambo.
71	Keromarca.	112	Lampa.
72	Checacupe.	113	Ocongate.
73	Checacupe.	114	Tinta.
74	Paucartambo.	115	Tiawuanaku.
75	Paucartambo.	116	Tinta.
76	Quiquijana.	117	Quiquijana.
77	Quiquijana.	118	Huancayo.
78	San Sebastián.	119	Huancayo.
79	San Sebastián.	120	Huancayo.
80	San Sebastián.	121	Huancayo.
81	San Sebastián.	122	Andahuaylas.
82	Ocongate.	123	Andahuaylas.
83	Ocongate.	124	Talavera.
84	Maras.	125	Talavera.
85	Maras.	126	Huancavelica.
86	Maras.	127	Huancavelica.
87	Maras.	128	Huancavelica.
88	Ayaviri.	129	Huancavelica.
89	Ayaviri.	130	Keromarca.
90	Paucartambo.	131	Pissac.
91	Paucartambo.	132	Keromarca.

N.º	Lugar	N.º	Lugar
133	Keromarca.	141	Pissac.
134	Quiquijana.	142	Otavalo.
135	Quiquijana.	143	Otavalo.
136	Pissac.	144	Otavalo.
137	Cuzco.	145	Otavalo.
138	Tinta.	146	Otavalo.
139	Keromarca.	147	Otavalo.
140	Checacupe.	148	Otavalo.

PROLOGUE

Le nombre de danses que les Indiens d'aujourd'hui, dans les nations andines (Pérou, Bolivie, Equateur), continuent d'exécuter comme une partie essentielle de leurs fêtes et rites approche de deux cents. Ce seul fait révèle l'extraordinaire vitalité du peuple indigène, si profondément attaché à sa manière d'être particulière, et met en relief l'importance que conserve le collectif opposé à l'individualisme d'importation européenne. Tant que les foules indigènes continueront de danser sur un rythme unique qui lie leurs corps et soude leurs esprits en une même âme sociale, il subsistera une réalité indienne, malgré les pénétrations de plus en plus importantes de la civilisation étrangère.

La race andine conserve et accumule; en elle vivent à la fois les créations lointaines de la culture antique, et aussi, absorbées et transformées, celles qui, depuis le 16e siècle jusqu'à nos jours, sont venues du monde occidental. Ce ne sont pas de simples emprunts, mais de véritables assimilations que réalise l'Indien avec les éléments culturels étrangers.

Ce procès d'indianisation des éléments européens a commencé aussitôt apres la conquête espagnole. Les rites catholiques, la langue espagnole, les jeux, les costumes, les instruments de musique, les courses de taureaux, enfin, quantité d'apports espagnols, l'Indien les a adaptés et modifiés pour les mettre à son service, c'est-à-dire en accord avec ses nécessités, en harmonie avec ses manières de voir et d'agir. La harpe n'est plus un instrument européen quand c'est l'indigène qui la construit, la langue de Castille change de sens et de sons, le catholicisme andin ne ressemble que bien peu à celui des Rois Catholiques. La fête du «Yawar» (fête du sang) est une parodie de l'art tauromachique péninsulaire; la casaque et le bonnet espagnols se sont transformés si librement et avec tant de variété qu'il est difficile d'apercevoir leur provenance.

Qui va reconnaître des danses d'origine européenne sous la chorégraphie bigarrée du Haut-Plateau? Pourtant ce sont le quadrille, et la pavane, et le menuet. Mais la couche indienne qui les recouvre est si épaisse que seuls les professionnels de la recherche ethnologique pourront découvrir ce qui est si profondément enfoui.

Les montagnes du Pérou sont le champ le plus fécond pour l'étude de la danse: sur la côte, elle a été déracinée dans de grandes proportions; dans la forêt, les tribus, défendues par leur isolement, maintiennent bien davantage le fonds primitif. On peut identifier d'abord la danse pré-colombienne, qui conserve une pureté relative, tandis que les danses introduites durant la domination espagnole, du XVIe au XVIIIe siècle, accomplissent leur fonction avec une signification différente de celle qu'elles avaient originairement.

Certaines ont persisté mieux que d'autres; il en est qui ont varié de manière importante, tandis que d'autres présentent seulement des altérations très superficielles, quasi imperceptibles. Dans ce procès influent des facteurs divers, tels que: noyaux de population indigène plus dense, où le métissage est minime, ou bien régions périphériques où l'influence étrangère est plus faible, ou encore, ilôts de population isolés par des obstacles naturels, hautes montagnes ou régions inhabitées; enfin, groupes raciaux plus aptes à se laisser pénétrer par des cultures étrangères, à la différence d'autres qui offrent une résistance prononcée. Autre facteur considérable: la force d'une tradition fondée sur un sentiment d'orgueil, comme chez certains peuples du domaine incaïque pur, le Cuzco par exemple.

Le contenu de la danse est aussi riche que celui de la vie sociale elle-même en ses multiples aspects. La danse, sublimation des attitudes et des actes de la vie courante, reflète la société aux différents moments de son développement historique. Celles qui expriment des manières d'être disparues ou modifiées ont disparu ou se sont appauvries. Leur "tempo" même a varié avec le changement d'accent à l'intérieur du composé culturel. De plus, comme au déclin de toute culture, beaucoup se sont converties en spectacle, et ont perdu leur signification profonde, leur véritable fonction sociale.

Il serait prématuré d'essayer une classification sérieuse des nombreuses manifestations chorégraphiques, tant qu'elles n'ont pas été cataloguées après une étude consciencieuse. Pourtant, on pourrait les grouper provisoirement sous deux rubriques principales: a) danses indigènes précolombiennes; b) danses étrangères assimilées durant la domination de l'Espagne, et danses indigènes nées sous sa férule. On peut identifier les premières en les comparant à celles que décrivent les historiens du premier siècle de la Domination Espagnole, et aux scènes qui figurent dans les représentation artistiques que place devant nos yeux l'archéologue dans les musées, vases et tissus en particulier. Les secondes se distinguent par des caractères «modernes» qui forment un contraste frappant, et par le sujet lui-même: critique ou moquerie à l'endroit des nouveaux maîtres, les «barbus» d'outre-mer, les «viracoches».

Par exemple, c'est parmi les danses précolombiennes qu'il faut ranger sans aucun doute les danses de caractère totémique, exécutées par des hommes seuls, masqués, et habillés d'un costume spécial: têtes de félins ou d'autres animaux et leur pelage ou plumage. De même, les danses funèbres, accompagnées d'une musique extrêmement lugubre, comme les *Ayarachis*, originaires de régions où le fonds de culture antique se maintient relativement pur. Par contre, les «petits diables» et les «négrillons» ne peuvent être que coloniaux. Parmi d'autres créations de cette époque précolombienne on range aussi les danses appelées *sijlla*, appliquées à ridiculiser les Espagnols, par la mise en scène de types tels que le notaire ou le barbier, protagonistes de véritables mimes.

La différenciation n'est pourtant pas nette, parce qu'il arrive souvent que des danses d'origine antique sont exécutées dans des costumes anachroniques et inadéquats. Et peut-être est-ce justement un caractère commun à nombre de danses que ce manque d'accord entre la composition et l'exécution, manque d'accord qui s'aggrave à mesure qu'on respecte moins l'exactitude et la propriété de chaque détail, conditions essentielles de tout rituel primitif.

Si on voulait essayer de classer les danses d'après leur contenu ou leur signification, on se trouverait en face de nombreux problèmes qu'il faudrait d'abord résoudre. En tout cas, à titre de simple énumération, on pourrait citer: a) des danses religieuses, comme l'*ayarachi*; b) des danses totémiques, comme celles de l'«oukoukou» (ours), ou du *Kousillou* (singe); c) des danses guerrières, comme la *Kachampa* ou l'*Akorasi*; d) des danses corporatives, comme celle des muletiers, des bergers, des «llameros», etc...; e) des danses satiriques, comme la *Sijlla*, la *Choujchou* (le paludique), celle des «majeños», celle des Tucumanais, des Chiliens, et tant d'autres; f) des danses régionales, comme celles des *chounchos*, ou de la forêt, les *kollas*, ou du haut-plateau, *youngueños*, ou tropicales; g) danses-pantomimes, comme l'*Akorasi* de Acomayo, ou celle de la mort d'Atahualpa; h) danses importées destinées seulement à la diversion, comme la contre-danse ou la *tika-kaswa* (danse des fleurs); i) danses agricoles, comme celle de l'*Ayriway*, pour célébrer la récolte; j) danses de parcours, c'est-à-dire où l'on se déplace en dansant, comme dans les «bandes» de carnaval.

L'Eglise catholique a joué un rôle essentiel dans l'introduction de certaines danses, à l'époque de la domination espagnole. Aux danses idolâtres des Indiens, elle tenta d'en substituer d'autres qui fissent courir un moindre danger à leur œuvre d'évangélisation: curés et moines inventèrent ou introduisirent des danses et des mimes tels que «Mores et Chrétiens», qui représentait les luttes de l'époque pour la défense de la foi. C'est pour obéir à la même intention qu'on écrivit et qu'on fit représenter des mystères parfois même en langue indigène, par exemple, «Usca Paucar», «Le pauvre plus riche» ou «L'Enlèvement de Proserpine», dûs a la plume d'ecclésiastiques habiles à manier la langue quichoua. Mais il leur fut impossible de déraciner la danse ancestrale dont on peut noter non seulement la persistance, mais aussi la fécondité par l'apparition d'œuvres nouvelles de critique franche ou voilée à l'égard des Espagnols, ou par la transformation de personnages terrifiants comme le diable en bouffons danseurs de foire.

Le mélange du rituel catholique et des vieilles pratiques, mélange qui s'effectue nécessairement lorsque deux cultures se pénètrent, a commencé avec la Conquête espagnole et continue jusqu'à nos jours, sous le regard complaisant du curé: il ne peut déjà plus l'éviter et ne s'obstine plus comme le faisaient les célèbres «destructeurs d'idolâtries» qui, à l'époque de la domination espagnole, se transformèrent en redoutables iconoclastes, et qui, dans leur morbide et fanatique acharnement finirent par attenter à toutes les plus remarquables manifestations de l'art américain: des chefs-d'œuvre de sculpture et d'architecture tombèrent sous sa pioche implacable; tissus, céramique, objets en plumes, tout fut réduit en poudre dans ce désir de faire disparaître tout vestige de l'activité esthétique pré-colombienne, qu'eux, les moines, jugeaient exécrable, inspirée par le démon. Mais si on put dans une large mesure effectuer cette destruction d'objets matériels ou de créations matérielles, il n'en fut pas de même lorsqu'on prétendit anéantir la base philosophique et religieuse de l'âme indigène, sa conception personnelle de l'univers et de la vie humaine.

Ces sentiments, malgré tant de siècles écoulés, subsistent encore, comme braise sous la cendre, dans la conscience du peuple andin. Les projections en sont le cérémonial de la fête publique et les rites cachés célébrés secrètement, à l'abri de la montagne ou du désert, dans cette terre qui n'est à personne, où le blanc conquérant n'a pas encore posé sa griffe. Dans ces refuges éloignés, à date fixe, les vieilles pratiques se poursuivent et, sous le couvert de la lithurgie chrétienne, soigneusement dissimulés, les symboles antiques sont encore présents dans le temple ou dans la procession.

Cela est surtout perceptible dans la danse, qui renferme un sens caché. Pour la population non indienne, ce n'est qu'une façon scandaleuse de s'amuser, un numéro pittoresque de la «saoulerie des Indiens». Grâce à cette interprétation, la danse peut conserver pour l'indigène, sa signification véritable, bien qu'avec moins d'ampleur qu'en d'autres temps.

Il y a, dans le calendrier, des jours marqués par le rituel catholique qui coïncident avec les vieux rites. Par exemple, la Fête-Dieu, qui tombe en mai ou juin, vient à point pour que les Indiens continuent leur antique célébration de la Pâque du Soleil (*Inti Raymi*), et ils en profitent habilement. Si l'on examine le calendrier des fêtes catholiques célébrées par les Indiens, on note que certaines dates sont de la plus grande importance pour eux, bien qu'elles ne le soient pas vraiment pour l'Eglise. D'autres fêtes sont universelles, c'est-à-dire qu'on les observe dans toute l'extension des Andes, comme le jour de la Découverte de la Croix (3 mai), parce qu'elles sont en relation justement avec le plus grand événement de l'année pour les agriculteurs montagnards: le début de la récolte. La Veillée de la croix locale («Cruzvelacuy»), n'est autre chose que la cérémonie païenne du *Pakariko* qui précédait tout acte d'importance dans la vie incaïque.

C'est un fait très suggestif que le plus grand nombre de fêtes, durant l'Empire Inca, se réalisait entre la fin de la récolte et le début des semences; on utilisait l'interrègne agricole pour les fêtes et les foires. Il en est exactement de même aujourd'hui; par exemple, la plus grande foire et fête bolivio-péruvienne a lieu dans le sanctuaire de Copacabana, au bord du lac Titicaca, entre le 5 et le 8 août de chaque année, et se prolonge parfois une semaine. Il y vient, de tous les coins des deux pays, quelques dizines de milliers d'indiens. C'est durant cette fête qu'on exécute le plus grand nombre et la plus grande variété de danses aborigènes et assimilées.

Dans le calendrier, outre les fêtes générales, comme celle de la Croix, et les foires comme celle de Copacabana, figurent d'autres fêtes célébrées sur une grande extension, et quelques-unes de caractère local, dédiées au patron du village. Partout, la danse figure comme un élément essentiel. Mais la danse est restée reléguée à la campagne, aux villages, car la ville a commencé de l'exclure à l'époque de l'Indépendance, cédant à une pudeur de «civilisés»: les autorités interdirent qu'y prissent part les danseurs pittoresques, qui mettaient une note de gaieté, de couleur dans la grisaille de la ville. Pendant la période coloniale, le Cuzco et Lima étaient même le théâtre de danses très animées d'Indiens et de Nègres. Quelques danses indiennes se sont introduites, à titre de diversion, dans les salons, par exemple, la *Kaswa* et le *Kachilchi*, ainsi que la danse à deux, le Houayno.

Pierre Verger réunit dans cet album environ cent cinquante photographies, où il a enregistré des aspects suggestifs de la vie dans les villages indigènes de cette partie de l'Amérique du Sud; son information, outre sa grande valeur artistique, offre un intérêt spécial pour tous ceux qui se consacrent à l'étude de l'homme et des groupes humains qui peuplent ce continent.

Ce sont des coutumes et des usages d'une extrême originalité qui défilent dans ces pages. Ils procèdent en grande partie des antiques cultures, mais apparaissent mêlés aux éléments introduits par les conquérants européens, à partir du XVIe siècle. Le Pérou (ainsi que le Méxique et l'Amérique Centrale) est le théatre d'un grand mélange de cultures: ferments indigènes et importés se combinent, et les formes qui résultent de ce développement créateur diffèrent assez de celles dont elles procèdent pour que l'on puisse affirmer avec un certain fondement que dans les Andes germe une nouvelle culture.

En choisissant le thème des fêtes andines, l'auteur a obéi à un plan mûrement réfléchi. C'est présenter dès l'abord le peuple indien sous l'angle qui révèle le mieux l'essence d'une culture: dans les manifestations de son sentiment religieux. En effet —et bien que ce ne soit pas ici le lieu d'en discuter—, la religion, qui naît à l'origine de toute société humaine en même temps que l'économie, saisit bien mieux que celle-ci ce que toute culture contient d'incommunicable. C'est sous l'aspect religieux que l'homme se montre le plus conservateur, le plus attaché aux formules ancestrales; de là, l'étonnante persistance des éléments les plus anciens lorsqu'ils sont de cette nature.

La fête est l'expression religieuse par excellence, à cause de sa riche complexité, de son inépuisable pouvoir d'attraction. Tout l'univers tourne autour de la fête: dieux et hommes se rapprochent et s'étreignent, dans le temps et dans l'espace. Hors du cercle de la fête, le monde reste comme en suspens. C'est l'interruption attendue dans la monotonie de l'existence. Et elle éveille d'autant plus d'impatience et d'anxiété que la vie courante est plus pauvre et plus triste. Ainsi s'explique l'énorme importance des fêtes andines pour l'homme de cette terre.

Les pages de cet album s'ouvrent et se ferment sur des musiciens indiens qui se servent de violons et de harpes «indianisés». Au cours du livre, la foule défile: elle apparaît peu à peu à l'horizon comme si elle émergeait —d'accord avec ses mythes— des entrailles de la terre; elle s'étend comme l'aube, à l'indécise lueur du jour voilée par les fumées et les vapeurs matinales des postes de nourriture et de boissons chaudes. Le photographe a saisi le froid, en haute montagne, avec les hommes emmitouflés dans de longs ponchos. Mais le soleil surgit, au bout de quelques heures, pour illuminer la silhouette de Saint Pierre, pêcheur dans une barque lacustre d'antique facture péruvienne; procession où se mêlent rites catholiques et païens, aux accords de la zampogne et du tambour. Déjà se forme la théorie des *Cullawas* masqués, brandissant des quenouilles géantes et des poissons d'argent en forme de pendantifs; les «négrillons», étranges caricatures nées du cerveau Indien. Les «Diables», aux longues cornes pointues, en forme de sabres et de défenses redoutables, qui rappellent les masques des Péruviens pré-colombiens; les flûtistes, en bonnets rayés, soufflent dans de minuscules flûtes de Pan; les toréadors chargés de ganses; des hommes déguisés en coqs, avec la crête et le bec, d'autres diables, aux pieds cornus et aux longues oreilles; la jolie danse des *puli-puli*..., brillantes coiffures de plumes et de fleurs, les flûtes de roseaux et les «pinkulus»; les *kenachos* dansant avec leur harnachement de peau de tigre et leurs jupons de plumes multicolores; les femmes qui tournent comme des toupies, montrant leurs dix jupes superposées aux couleurs vives; les «Auki-auki», avec leurs perruques blanches et leur visage de cuir représentant de manière burlesque les Espagnols aux grands chapeaux; les *chiriguanos*, originaires de la forêt, jouant de la zampogne (chalumeau à la double file de longs tuyaux), et battant leur grand tambour; le «grand sikuri» de Copacabana, avec son orchestre de tambourinistes et de flutistes; les *Ayarachis*, de Paratia, avec leur énorme coiffure de plumes, qui rappelle un arbre feuillu, et leurs capes blanches ou noires, défilant aux sons d'une mélodie funèbre; puis la procession de Saint-Jacques à la belle prestance (identifié à l'éclair), hardi cavalier, avec sa garde composée du *Bâton*, de *l'Epée*, et du *Drapeau*, trois degrés dans la hiérarchie (ici le photographe vole du haut-plateau à Cuzco, poursuivant le cavalier céleste qui se réfugie dans le temple aux miroirs, Sainte Claire, près de la vierge, la veille du Jeudi-Saint); puis vient le jour des Rois avec *Hérode* au balcon, et les trois rois Mages (l'espagnol, l'indien et le nègre) à la mode des Andes; ensuite la procession; la femme du «carguyoc» (intendant) tenant un des guidons d'argent. De retour au Cuzco, nous nous arrêtons devant les brancards du *Seigneur des Tremblements*, le Christ indien et la *Très-pure*, la belle et divine Dame qu'adorent les Blancs; multitude suante d'Indiens porteurs, d'Indiens en prières; de nouveau la danse, cette fois celle des *Kanchi*, habitants de la haute vallée, chargés de grosses frondes multicolores, de baguettes richement ornées d'anneaux d'argent, et de bourses à la mode d'autrefois qui contiennent la coca tant désirée; voici maintenant la *Kachampa* d'aspect martial et la *Koyacha* de Saint-Sébastien, très métissée dans le costume, mais surtout espagnole pour la chorégraphie; la *contre-danse* de Paucartambo, aux costumes compliqués et aux masques en fil de fer; aussitôt après, les danses satiriques, celle du *Chujcha* qui mime le paludisme de la côte, qu'apporte à la montagne le «licencié» de l'armée; voyez-le auprès du médecin à la petite moustache chaplinesque et du petit soldat armé d'une seringue peu commune; le groupe de la «sijlla» est composé du juge, du sous-préfet, du notaire et des autres «notables» du village; tout ce qu'ils exécutent est une burlesque parodie de l'«Administration»; c'est par cette satire sanglante que l'Indien se venge de tous ceux qui l'exploitent et l'oppriment.

Des Chiliens et des Argentins figurent aussi dans quelques-unes de ces danses; ce sont en général des muletiers et des commerçants, et avec eux se présente d'ordinaire un personnage en jaquette et chapeau melon, en qui on reconnait «l'Avocat». A Checacupe, non loin du Cuzco, il y a une danse spéciale des Tucumanais, en souvenir des muletiers qui, à l'époque coloniale et en partie sous la République, maintinrent une certaine union entre les départements du Sud Péruvien et le Nord argentin. Parmi les exercices d'adresse que l'on montre à la fête, on remarque l'exercice d'équilibre que pratiquent les femmes de Quiquijana, le jour de Sainte-Rose: c'est un poteau ou un mât de bois de cinq mètres de long que les exécutantes manient avec les doigts, en le maintenant vertical malgré les mouvements variés qu'elles lui impriment. Nous sommes à la moitié de l'album et nous pourrons encore nous amuser à regarder de nouvelles danses du Cuzco parmi lesquelles se détachent les Wayri Chounchous d'Ocongate ou les «Kara Chounchous» de Maras, évidemment de provenance forestière. A la fin de l'Empire Inca (1525-32), le thème féroce continuait d'être à la mode parmi le peuple et les artistes, parce que l'avance incaïque sur l'Amazona s'était de nouveau accentuée sous Huáscar, quelques années avant la guerre contre son frère déloyal Atahualpa. La danse «Sourçour Waylls» représente la flagellation entre jeunes gens, épreuve virile strictement observée dans les cérémonies qui suivent l'entrée à la puberté. Les «llameros d'Ayaviri», et les *Kapaj Kolla* de Paucartambo sont des danses où l'on se défie et se moque mutuellement, très fréquentes entre les villages indiens et même à l'intérieur des communautés, entre les bandes d'en haut et d'en bas. Parmi les nombreuses expressions chorégraphiques d'un totémisme évident figurent le «kossillous» et le «Oukou Oukou», c'est-à-dire danses du singe et de l'ours. C'est une cérémonie typiquement catholico-indienne qui se réalise le jour de *San Isidro Laboureur*, quand le curé bénit les attelages de bœufs qui labourent symboliquement la place.

Les courses de taureaux ont été introduites avec beaucoup de complaisance dans la fête andine; elles ne manquent jamais. On y emploie non seulement des taureaux véritables, mais aussi des hommes déguisés en taureaux. Un peu à l'écart de la foule, Verger a photographié quelques types de «fêtards»: voyez-les, observateurs souriants, presque jamais farouches ni silencieux malgré tout ce qui peut leur arriver de mal.

Regardez maintenant ces musiciens, celui-ci avec la *quena* cet autre avec l'*anthara*, ou flûte de Pan (Zampogne), en eux, quelle noble et imposante humanité, à côté de ces deux autres musiciens qui soufflent dans des instruments européens. Danse carnavalesque «Waylillas» de Huancayo; du même endroit ces magnifiques capes brodées, d'inpiration contemporaine ingénue et primitive. On dirait que ces vases pansus marchent tout seuls, apportant la joie à la fête, avec le liquide doré qu'ils contiennent: la *chicha*. Dans ce groupe, les libations ont commencé au milieu des rires et des compliments. L'ivresse perce: cela commence par des conversations amicales pour se changer en disputes et même en pugilats; visages de buveurs satisfaits; dispute entre femmes: l'insulte est une arme puissante: voyez l'expression de l'aggresseur et celle des spectatrices; quel contraste frappant avec le doux sourire de la cacique, cette belle indienne dont le chapeau et le costume laissent loin en arrière la fantaisie des couturiers: c'est une matrone, sans cesser d'être une femme séduisante. L'accolade indienne, qui n'étreint pas un corps contre un autre, qui semble plutôt «exploratrice» qu'affectueuse; de même, sa poignée de main ne parvient pas à être une étreinte parce que la main indienne glisse, ne serre pas, ne presse pas.

Le thème des nègres reparaît à *Andahuaylas*, avec son entrée, l'ambassadeur et la danse. Les acrobaties de cirque sont introduites dans la fête indienne, ici, à Talavera, ainsi que dans la région andahueylène. Puis la danse des petits bergers de Huancavelica, et diverses sortes de danseurs masqués. Verger nous transporte ensuite en Equateur pour nous montrer de suggestives scènes de foule, où le grand Protée indien présente un autre de ses aspects. A la fête des Rois, à celle de Saint Jean Baptiste, c'est le même homme, la même collectivité que dans le centre ou le Sud du Pérou, la Bolivie ou même le Nord argentin. Dans ces groupes qui mangent à l'air libre ou qui se balancent, dans cette scène d'ivrognerie, et surtout dans celle du retour à la maison, la fête vit sa grande unité indiohispanique, à travers l'immense étendue des Andes. Les voici finalement, couchés sur le dos, plongés dans un sommeil réparateur; c'est par là que finit la fête.

Et nous achevons, nous aussi, de parcourir le très beau livre qu'offre à l'Amérique le remarquable artiste qu'est Pierre Verger. Les *Fêtes et danses au Cuzco et dans les Andes* constituent la primeur del'œuvre à laquelle il se consacre, et qui lui vaut la sympathie et la dévotion de tous ceux qui le comprennent et l'admirent. A cette révélation de l'Amérique, la France ne pouvait manquer: c'est son esprit qui parfume ces pages.

PROLOGUE

The dances which continue to form an essential part of the festivals and rites of the Indians at present inhabiting the Andine nations (Perú, Bolivia, Ecuador) number almost 200. This fact alone reveals the extraordinary vitality of these people and the affection with which they cling to their own traditions, and is at the same time a manifestation of the survival of collective endeavour in the struggle against individualism imported from Europe. As long as these native multitudes continue to dance to one rhythm, uniting their bodies and spirits in one soul, there will be an Indian reality despite the ever-increasing intrusions of foreign civilization.

The Andine race endures and multiplies. In it are embodied the remote creations of ancient culture, and also absorbed and transformed in it are those emanating from the occidental world from the XVIth Century to the present day. The Indian has not simply borrowed these extraneous cultural elements, he has made them a part of himself.

This merging of European with Indian began on the day following the Spanish Conquest. Catholic rites, the Spanish language, games, costumes, musical instruments, bull fights —in fact, an infinite number of things introduced by the Spaniards— were adopted and modified by the Indian to suit his needs, that is to say, to harmonise with his customs and beliefs. The European harp ceases to be European when the indigene constructs it; the language of Castile has neither the same significance nor sound; the Catholicism of the Andine only faintly resembles that of the Catholic Kings; the "Yawar-fiesta" (Festival of Blood) is a parody of the art of peninsular bull fighting; the costume and head-dress worn by the Spaniards have been transformed so freely and in such a variety of ways that it is difficult to perceive their origin.

Who is going to recognize certain dances of European origin in the motley choreography of the inhabitant of the Puno? Nevertheless the Quadrille is there, and so are the Pavan and the Minuet. But such is the thickness of the Indian cloak about them that only professional ethnologists can discover what lies beneath its folds.

The Peruvian Sierra is the richest field for the study of the dance. On the coast it has been eradicated to a great extent. In the sheltering isolation of the forests the tribes retain the greater part of their ancient heritage. Chronologically, the dance of the era before Columbus can be identified at a glance, and those introduced during the Spanish rule from the XVI to the XVIII century fulfil their function, though with a different significance from that originally given them.

Some dances have lasted better than others; these have varied substantially, whilst others only present very superficial, almost imperceptible alterations. This can be attributed to various factors. For instance, there are nuclei of the population in which the Indian predominates, the Mestizo forming only a minimum part. Then there are outer regions where there is very little foreign influence or the situation is insular, due to geographical obstacles such as high mountains or paramos. Briefly, these are racial groups disposed to accept the transference of a culture, contrasting with others who have strongly opposed it. Yet another factor of considerable importance is a certain leaning towards tradition arising from a sentiment of pride, as in some towns in the Inca-Castilian area such as Cuzco.

The essence of the dance is as rich as that of social life in its multiple aspects. Being a sublimation of everyday occurrences and deeds, it reflects society in the different moments of its historic development. The dances featuring modes that no longer exist or are dying out have either disappeared altogether or are rarely performed. Their very tempo has varied with the change of accent within the cultural complex. Moreover, as happens whenever a culture declines, many of them have turned into mere pageantry on losing their deep meaning, their true social function.

It would be premature to attempt a detailed classification of the numerous choreographic manifestations, for they have not yet been catalogued after conscientious study. However, it is possible to group them provisionally. A first grouping would consist of two main divisions: a) native dances of the period before Columbus; b) foreign dances adopted during the rule of the Viceroys, and native dances which arose under their dominion. The first can be identified by comparing them with those described by historians of the first century of the Spanish rule and with the scenographies analysed in the artistic representations which archeologists display for us in the museums, vases and weavings especially. The second are distinguishable by "modern" characters which spring to the eye in sharp contrast and by their very motif, criticism or burlesque of the new lords, "the Bearded Men" from across the sea, the "Viracochas".

For instance, the dances of a totemistic nature without any doubt belong to the era before Columbus. They are performed by men alone, each attired in a special costume completed by a feline or other animal mask and furs and plumes. Likewise the funereal dances accompanied by music of a most lugubrious intensity, such as the Ayarachis, originating from regions in which the ancient cultural heritage lives on, maintaining itself relatively pure. In contrast, the "Diablillos" and "Negritos" cannot be other than Colonial. Amongst many of the creations of this post-Columbian period are the dances called "Sijlla", aimed at ridiculing the Spaniard through the medium of such types as the "notary public" and the "usurer", whom they make the leading characters in their pantomimes.

The differentiation is not clear, however, because it often happens that dances of ancient origin are performed by subjects dressed in completely incongruous, anachronistic costumes.

Possibly this lack of union between composition and performance, which intensifies with the lessening of attention to detail which is essential in all primitive ritual, is a commom feature of many dances.

If we were to attempt a classification based on the content and significance of the dance, we would find ourselves confronted by many problems whose solution was of primary importance. However, as mere examples we could quote: a) religious dances, such as the Ayarachi; b) totemistic dances, like those of the Ukuku (bear), or the Kusillu (monkey); c) war dances, such as the Kachampa or the Akorasi; d) group dances, such as those of ploughmen, shepherds and llama drivers, etc.; e) satirical dances, such as the "Sijlla", the "Chujchu" (the malaria sufferer), that of the Majeños, that of the Tucumanos, that of the Chileans, and many others; f) regional dances, such as those of Chunchos or Selváticos, Kollas or Altiplánicos, those of the "Yungueños" or tropical ones; g) Pantomimic dances, such as the Akorasi of Acomayo, or that of the death of Atahualpa; h) imported dances for amusement only, such as the Quadrille or the "Tika-kaswa" (floral dance); i) agricultural dances, such as that of the Ayriway, in celebration of the harvest; j) "recorrido" dances, that is to say, dances which consist of walking and dancing, like the famous "pandillas" of carnival. Etcetera.

The Catholic Church took a leading part in the introduction of certain dances belonging to the period of Spanish Rule. It tried to substitute for the idolatrous dances of the Indians others which would present less danger to its evangelical work; priests and friars created or reproduced dances and mimes such as "The Moors and Christians", which represented the fighting of that period in defence of the faith.

Obeying this same plan, sacramental sketches, some even in the native dialects from the pens of ecclesiastics skilled in the manipulation of the Quechua tongue, were written and staged, for example the "Usca Paucar", "The Richest Beggar" or "The Rape of Proserpine". But it was impossible for them to uproot the vernacular dance, which not only persisted but spread. New works appeared which levelled open or veiled criticism at the Spaniards, or else converted terrifying personages like the devil into ludicrous fair-ground dancers.

The mixture of Catholic ritual with the old pagan practices, as in every transformation of a culture, began with the Spanish Conquest and continues up to our time under the watchful eye of the priest. He can no longer escape this, and he remains unperturbed, unlike the celebrated "destructors of idolatrous practices" who in the centuries of the Spanish conquest were converted into violent iconoclasts until they reached a stage of morbid fanaticism when they attacked all the highest manifestations of American art; magnificent works of architecture and sculpture fell beneath their relentless pickaxe; weavings, ceramics and ornamental feather work were reduced to dust in their zeal to extinguish every vestige of pre-Columbian aesthetic activity which they, the clerics, considered execrable, inspired by the devil. But if they were successful to a great extent in their work of destroying material things or creations, they did not achieve a like success when they took it upon themselves to extinguish in the indigenous soul its philosophical and religious nature, its indestructible awareness of the cosmos and of human life.

In spite of the centuries that have passed, such feelings warm the hearts of the Andine people as hot coals enkindle embers. The ceremonial of the public festival and the esoteric rites celebrated clandestinely, in the safe retreat of mountain or paramo in that no man's land where the white conqueror has not planted his foot, are the result. In the distant refuges, at given times, the old practices continue, and well hidden beneath the protective cloak of the Christian liturgy they are present in the temple or in the procession of ancient symbols.

The most ostensible is the dance, within its occult meaning. To the non-Indian population it is nothing but a scandalous form of amusement, a picturesque display of the "drunkenness of the Indians". Thanks to this interpretation, the dance can live on with its true significance for the native, although not to the same extent as in other times.

On the calendar there are days marked for Catholic ritual which coincide with the old rites. For example, the feast of Corpus Christi which falls in May or June is a perfect opportunity for the Indians to continue their extremely ancient celebration of the Sun Feast (Inti Raymi), and they very cleverly take advantage of it If we examine the calendar of Catholic feasts celebrated by the Indians, we shall note that certain dates are of primordial importance to them, even when they are not actually considered to be so by the Church.

Other feasts are universal, that is to say, are observed in all the extent of the Andes, such as the Day of the Invention of the Cross (May 3rd), because they happen to coincide with the greatest annual event for the farmers of the Sierra — the commencement of the crop. The veiling of the Cruz of Pago ("Cruzvelacuy") is nothing but a pagan ceremony of the Pakariko which anteceded all transcendental deeds in the life of the Incas.

It is very suggestive that most of the feasts celebrated during the Incan Empire fell in the period between the harvest and the beginning of the sowing; it was the agricultural interregnum taken advantage of for pilgrimages and festivals. To-day it is exactly the same. For instance, the chief Peru-Bolivian festival and pilgrimage takes place in the Sanctuary of Copacabana, on the shores of Lake Titicaca, between the 5th and 8th of August of each year, and is sometimes prolonged a week. Some tens of thousands of Indians from a vast area of both countries attend it. It is during this festival that the greatest number and variety of aboriginal and adopted dances are performed.

Apart from such universal feasts as that of the Cross and holidays like the Copacabana, there appear on the calendar others that are very widely celebrated and those of a local character dedicated to the patrons of towns. In all of these the dance figures as an essential part. But the dance has gradually been relegated to the countryside, to villages; because the city began to expel it in the century of the Independence, an act inspired by the modesty of "civilized ones". The authorities forbade the entrance of the picturesque dancers who gave a note of joy and colour to their grey cities. During the Colonial epoch Cuzco and Lima themselves provided a most animated theatre for the dances of Indians and negroes.

Some Indian dances, such as the Kaswa and the Kachikachi, have been introduced as a drawing room diversion apart from the Huayno, a dance for couples.

Pierre Verger has assembled in this album some hundred and fifty photographs in which he has caught typical aspects of the life of the indigenous peoples of this side of South America, a record which, apart from its high artistic value, has a very special interest for all who dedicate themselves to the study of man and the human groups who populate this continent.

The customs and practices which are displayed in these pages are of outstanding original-ity. In a great part they come from the ancient cultures, but we see them mingled with the elements introduced by the European conquerors from the XVIth century onwards. Perú (and Mexico — Central America) presents the spectacle of a culture in a state of transformation: indigenous and foreign ferments combine, and the resultant forms in the process of creation draw farther and farther away from their origin until they give a founda-tion to the theory that in the Andes a new culture has germinated.

In choosing the motif of the Andine feasts, the author has followed a well-considered plan. He begins by presenting the Indian people in that aspect which reveals better than any other the essences of a culture — the religious. In effect — and though this may not be the place to discuss it — religion, coetaneous with economy from the beginning of human-ity, is better able than the latter to apprehend the intransience of all cultural entities. It is in religion that man shows himself most conservative and devoted to the ancestral formulae: hence the incredible persistence of the most remote elements of this nature.

The festival is the perfect expression of religion, in its rich complexity, in its inexhaustible power of attraction. Around the festival girates the whole universe: gods and men approach and embrace each other, in time and in space. Outside the circuit of the festival the world remains as if in suspense. It is the awaited discontinuance of monotonous existence. The sadder and poorer the common lot, the more anticipation and excitement will be awakened. Thus is explained the enormous importance of the Andine festivals to the men of this land.

The pages of this album open and close on scenes showing Indian musicians playing on violins and harps which they have "indianized". A pageant is about to unfold: the crowd appears, coming over the horizon as though emerging, in accordance with its myths, from the bowels of the planet. It comes forth like the dawn, into the uncertain light of day veiled by the smoke and vapours of the early morning booths, where food and hot drinks are sold. The photographer shows us *Cold* on the high mountain, with the men wrapped in long "ponchos", but in a few hours the sun bursts forth to light up the figure of St. Peter, fishing in a lake boat of ancient Peruvian model. In this procession Catholic and Pagan rites are mingled to the sound of pipe and drum. Now begins the spectacle of masked men flourish-ing enormous distaffs and pendants of silver fish; little "dusky negroes", strange beings whom the Indian caricatures; "devils" with long and sharply pointed horns like sabres and tremendous tusks, reminiscent of the Peruvian masks of the era before Columbus; players of tiny pipes of Pan in their tasselled headdresses; bullfighters weighed down with braid; those disguised as cocks with comb and beak; other devils horned and long-eared; the lovely dance of the *Puli-Puli* with their spectacular headdresses of feathers and flowers and their cane flutes and *pinkullos;* dancing *Kenachos* with their battle-dress of tiger skins, and their skirts of many-hued plumage; women spinning like tops, displaying their ten layers of brightly coloured petticoats; the *Auki-Auki,* with their white wigs and leather faces, burlesqu-ing the Spaniards with their enormous hats; the *Chiriwanos* from the forests playing the long-tubed, double-rowed "zampoña" and the big drum. The great "Sikuri" from Copaca-bana, with his band of drummers and pipers; the *Ayarachis* from Paratia, with their shapeless feather headdresses like leafy trees and their black and white mantles, moving to a funeral melody; and later the procession of the gallant St. James (identified with the thunderbolt), very much the horseman and with his guard of Staff, Sword and Banner, three degrees of hierarchy; (here the photographer transports us from the table-land to Cuzco, following the celestial horseman to his refuge in St. Claire's, the church of the mirrors, beside the Virgin, on the eve of *Corpus*); and the day of Kings arrives, with *Herods* on the balcony, and the three *Magi* (the Spaniard, the Indian and the Negro), as they are conceived in the Andes. The procession continues with the "Carguyoc's" (Mayordomo's) wife carrying one of the silver maces; and we come again to Cuzco, to stand before the litter on which is borne the Lord of Earthquakes, the Indian Christ, and She who was Purified, the Lady whom white men adore; a crowd of perspiring Indian bearers, of Indians kneeling in prayer; then the dance again, this time of the *Kanchi*, the people of the high valley, decked with bulky, multi-coloured slings, with their rich staffs and silver earrings and pouches in the old style to hold their precious coca. Now come the Kachampa of war-like mien, and the Koyacha from San Sebastian, very much the mestiza in dress but predominantly Spanish in choreography; the Paucartambo Quadrille, with its elaborate costumes and wire masks; and next the burlesque dances, that of the Chujchu which mimes victims of malaria, a coastal disease brought to the sierra by soldiers on leave; look at him there with the physician of the Chaplinesque moustache and the assistant with his gargantuan syringe. The Sijlla group is made up of Judge, Subprefect, Notary and other village luminaries, its function being to parody the administration; thus does the Indian avenge himself in virulent satire on those who exploit and oppress him. Chileans and Argentines, too, appear in some of these dances; they are usually mule-drivers and traders, and in their company frequently appears a personage in frock-coat and top hat who is easily recognizable as the lawyer. In Checacupe, not far from Cuzco, there is a special dance for "Tucumanos", in memory of the mule-driving trade which in Colonial and early Independence days kept the departments of Southern Perú and Northern Argentina in close contact.

Among the feats of skill exhibited at the festival a balancing act performed by the women of Quiquijana on St. Rose's Day is worthy of note. The performers balance on their fingers a wooden pole or mast five metres long, keeping it vertical in spite of the varied movements to which they subject it.

We have reached the middle pages of the album, and have yet to be entertained by the spectacle of new dances from Cuzco, among which some of undoubted forest origin stand out, such as the Wayri Chunchus of Ocongate or the Kara Chunchus of Maras. In the last years of the Incan Empire (1525-32) the savage motif was still considered "the fashion" by public and artists, because the Incan advance on Amazonia had again begun to intensify under Huáscar in the short years which preceded the war against his disloyal brother Atahualpa. The dance "Sursur Waylla" is a form of flagellation amongst youths, a test of virility very much practised in the ceremonies which follow upon puberty. The "Llameros" of Ayaviri and the "Kapaj Kolla" from Paucartambo are dances of mutual contest and satire very common between Indian villages, and even within the communities themselves, between the bands called the "Ups" and "Downs" ("arribeños" and "abajeños"), into which they split up.

Among the many obviously totemistic dances are those of the Kusillu and the Uku Uku, the monkey and the bear.

A typical Indian-Catholic ceremony is that performed on the day of St. Isidore the Farmer, when the priest blesses the yokes of oxen and these symbolically plough in the plaza.

Bull-fighting has been willingly accepted as a part of the Andine festival; it is never lacking. But it is not practised with real bulls alone, for these are often replaced by men in disguise.

Leaving the crowd on one side, Verger has depicted individual "merrymakers": see them smilingly looking on, rarely losing interest, rarely silent, no matter what misfortunes they encounter. Now look at these musicians, one with a crossed "quena" and another with the "anthara" or pipe of Pan ("zampoña"). How noble and impressive their stature in contrast with these other two musicians, "blowers" of European instruments.

This is the "Waylillas" of Huancayo, whence come also these magnificent embroidered mantles with their simple, primitive depiction of contemporary affairs.

There go the pot-bellied pitchers, as if under their own power, bringing gaiety to the feast in the golden liquid that they hold, Chicha.

In this group drinking has begun amidst laughter and compliments. Drunkenness approaches. Friendly dialogues degenerate into quarrels and even fisticuffs. See the faces of merry drinkers, and the fighting of women, when insult is a powerful weapon. Note the expressions of the aggressor and the spectators, in what sharp contrast to the sweet smile of the "cacica", this beautiful Indian with her mountain headdress and her gown that puts to shame the creations of the modistes. She is a matron, but has lost nothing of her youthful charm.

This is the Indian embrace which does not draw the bodies together, for it is more tentative than affectionate; similarly their "handshake" is not truly such because the hand of the Indian slides; it does not press or grasp.

The negro motif appears again in the dance of the Andahuaylas. Circus acrobatics invade the Indian festival here, in Talavera, also in the Andahuaylan zone. Then comes the dance of the little shepherds of Huancavelica, followed by many types of masked dances.

Now Verger takes us to Ecuador to show us typical crowd scenes, in which the great Indian Proteus appears under another aspect. In the feast of Kings, in that of St. John the Baptist, the same man and the same people figure as in central or southern Perú, Bolivia, and even northern Argentina. In these groups showing open-air feasting, in the picture of drunkards, and above all in the home-coming, the festival portrays the great Indo-Hispanic unity which spreads over the immense area of the Andes.

See them here at last, stretched full length and soundly sleeping. So ends the festival.

So ends for us also this enchanting book which introduces to America the lovable genius of Pierre Verger. "Festivals and Dances in Cuzco and in the Andes" is the first fruit of the work to which he is dedicating himself, and he has sympathetic and devoted followers in all of us who understand and admire him. In this revelation of America, France must play a part: her spirit makes fragrant these pages.

INDICE GENERAL

Prólogo 9

Láminas 23

Apéndice:

Calendario 175

Bailes 177

Lugares 179

Indice correlativo de las láminas 181

Prologue (texto francés) 185

Prologue (texto inglés) 193

SE TERMINÓ DE IMPRIMIR EN
BUENOS AIRES EN LOS
TALLERES GRÁFICOS DE
GUILLERMO KRAFT LTDA.
SOCIEDAD ANÓNIMA DE
IMPRESIONES GENE-
RALES EL DÍA
VEINTE DE
MARZO DE
1 9 4 5